Дарья Серенко

Дарья Серенко

Я желаю пепла своему дому

ИЗДАТЕЛЬСТВО
КНИЖНОГО МАГАЗИНА
БАБЕЛЬ

Тель-Авив
2023

Серенко, Дарья.
Я желаю пепла своему дому. — Тель-Авив. Издательство книжного магазина «Бабель», 2023. — 158 с.

ISBN 978-965-93083-7-8

посвящается Саше С., Соне С. и всем людям,
благодаря которым я пережила этот год,
а также каждой активистке
Феминистского антивоенного сопротивления

* * *

Война застала нас на месте всех событий. Мы замерли, обезоруженные, жалкие и беспомощные, наблюдая, как наши тела ежедневно сливаются с телами малолетних оккупантов, превращаясь в неразборчивые кровавые росчерки на заснеженных полях. Во время этого слияния у меня периодически случается диссоциация, будто я — уже не я, будто я парю над собственным пустым телом, выглядящим схематично, как спутниковый снимок. Впервые я испытала такое после изнасилования, и вот оно опять возвращается.

Я сажусь расшифровывать интервью украинки, которую российские солдаты изнасиловали на прошлой неделе. Параллельно переслушиваю несколько раз аудиозапись пыток россиянки, ее пытали полицейские, я внимательно слушаю и записываю, чтобы дать в новостях цитату из этого аудио. «Тварь, я сейчас тебе въебу... <нрзб>... убью нахуй!» Россиянку я узнаю по голосу, украинку не знаю совсем. Голоса похожи, и я боюсь перепутать два аудио. Я не имею никакого права перепутать эти два аудио.

Наши тела ежедневно сливаются с телами малолетних бухих насильников. Я пыталась обжиться внутри каждого российского солдата, чтобы узнать, где пролегает моя вина. Вина, кажется, пролегала везде. Она пахла перегаром, обмочившимся телом, застывшей за ночь на весенних заморозках рвотой. Час назад я прочитала комментарий соотечественницы, в нем она радовалась насилию над украинскими женщинами. Соотечественница писала, что ее саму тоже били и что били за дело: люди ж не звери, просто так бить и убивать они не будут. Всегда есть причина: изменяла, гуляла, угрожала, жила своей жизнью. Так синяки, кровоподтеки и разрывы мигрировали с тел российских женщин на тела далеких от них людей. Тела врагов. У меня не боли, у Наташки заболи, перейди с Федота на Якова, с Якова на всякого.

Если долго вглядываться в солнце, в глазах еще некоторое время будут стоять его очертания: куда бы ты ни посмотрела, эхо солнца будет возникать и заслонять собой всё, что ты видишь. Так и с насилием: если долго вглядываться, ты начинаешь видеть только его, ты и с закрытыми глазами видишь насилие, ты видишь его во сне, но однажды ты просыпаешься и становишься кем-то иным, кем-то, кто уже не может перестать видеть. «Где вы были 8 лет?» — спрашивает искусственно сгенерированный голос, пытаясь перевести наш взгляд с войны на засасывающую демагогическую пустоту. Восемь лет мы вглядывались в насилие, мы изучали повадки насилия, мы сроднились с насилием, у нас — глаза насилия, его черты лица, его дыхание, его мимика. Мы сливались с ним, чтобы остановить его. Мы стали им, противостоя ему. Мы соотечественники по насилию.

Мы не можем смотреть на чужие страдания, мы все еще присматриваемся к своим. Мы закрываем Сьюзан Зонтаг, закрываем Ханну Арендт, мы уже прочитали всё это, отбывая наказание в своих тюрьмах и спецприемниках, мы открываем бутылку вина — она сейчас стоит дешевле прокладок. Напиться или не истечь кровью? «Мама, у тебя руки по локоть в крови», — весело кричит российский ребенок на праздничной улице.

Наступает вечное 9 мая, так выпьем же за то, чтобы мы

никогда больше
не смогли повторить
повторенное

* * *

Пишу, пока есть свет в камере. Мужчина в форме управляет сегодня моим светом; этот мужчина не грубит, такое ощущение, что он удивлен моему присутствию не меньше меня, и удивление смягчает его казенные натруженные интонации.

В камере на пять человек я сижу одна, и, возможно, в одиночестве я проведу все эти 15 суток, с 8 по 23 февраля. Прошлую ночь я провела на полу в грязной камере без окон в Тверском отделении ОМВД. Меня туда доставили силой двое мужчин в штатском, представившиеся сотрудниками уголовного розыска. По иронии, мужчины эти ввалились в кафе через минуту после того, как я подписала своему другу Петру мою книгу «Девочки и институции». Дарственная надпись была такая:

«Россия будет свободной — и мы обязательно это отпразднуем».

С книгой меня и упаковали. Видимо, свободной Россия в ближайшие 15 суток не будет.

В отделении я очень переживала за свои вещи. Когда с меня снимали серьги и кольца, я чувствовала себя киборгом, продолжающимся в изгибах металла, соприкасающегося с моим телом. Несмотря на то, что никаких дополнительных функций, кроме эстетической, мои девайсы не несли, ощущение было такое, будто меня лишали сил и дееспособности.

Сегодня мой первый день, и я с нетерпением жду, когда свет в камере выключат. Только через пару дней я пойму, что имею право просить о выключении света, надо просто начать долбиться в железную дверь, и дежурный посмотрит на тебя в дверное окошко. Тут вообще псревертыш, к которому надо привыкнуть: в дверь стучат не снаружи, в дверь ты сама стучишь изнутри.

В камере ОМВД Тверского свет не выключали, так что спать я не могла и сидела на полу среди вонючих матрасов в ожидании суда. В той камере не было окон, зато были шестиметровые потолки, отзывающиеся мощным эхом на каждый шорох. Около трех часов я развлекала себя тем, что пела все известные мне песни. Звук моего голоса, множащийся об обшарпанные стены, возвращался в мое тело, наполняя и успокаивая. Пела я с каждым часом всё громче, удивляясь, что меня не просят заткнуться.

Перескакивая с Жанны Агузаровой на Тейлор Свифт, я раскладывала вокруг себя вещи, которые мне разрешили оставить при себе: мою книжку, вязаную синюю шапку, черный пуховик, бутылку воды. На пальцах светились полоски от отсутствующих колец, похожие на рубцы, чуть выше, на внутренних сторонах обеих рук, чернели татуировки. Кажется, я по-новому посмотрела на тюремную практику татуировок: это не только язык коммуникации, но и та твоя собственность, которую не так-то просто изъять.

Забирают у тебя всё, чем ты теоретически можешь убить себя: шнурки, ремни, острые предметы. Это невольно наводит на размышления о способах самоубийства, даже если ты этого не хочешь.

Застрять с собственноручно написанной книгой оказалось, конечно, символично, но с практической точки зрения невероятно бесполезно: как же мне было с ней скучно. Я знала ее наизусть, поэтому погружения не получалось, я будто листала пустые страницы. Хотелось экшн-чтения, чтобы оно захватило полностью мое внимание и оторвало меня от разглядывания грязного потолка, а время ожидания суда сгустилось и ускорилось.

В спецприемнике, куда меня доставили спустя сутки, гораздо лучше, чем в ОМВД. В целом пребывание тут пока больше всего напоминает мне долгую поездку в очень старом поезде, в котором неприятно прикасаться ко всему, что тебя окружает. Только поезд этот никуда не едет и неподвижен в пространстве, единственное движение, которое ему доступно, — это движение во времени. А в остальном достроить поезд очень легко: разложенная везде еда, редкая возможность помыться, сложные отношения с кипятком (его приносили нам всего трижды в день), связи практически нет, а до матраса страшно дотронуться.

Как и в поезде, тут есть свои остановки, правда, станция всегда одна и та же: раз в день тебе разрешают выйти на прогулку в маленький глухой двор, который можно измерить 40 шагами. Когда я вышла, повалил крупный и очень медленный снег. У прогулочного двора был решетчатый потолок (небо в клеточку), на который наросли огромные многосоставные сосульки, похожие на советские люстры из домов культуры. Выглядело это красиво и празднично.

В первую свою прогулку я пошла разглядывать стены двора. Они оказались испещрены надписями:

моя Россия сидит в тюрьме
Любовь сильнее страха
Маша Алёхина — 15 суток + 15 суток
Люся Штейн — 15 суток
Тим Бесцвет — 10 суток за акцию с прайд-флагами
Путин хуйло
Настя Резюк — 10 суток за пикет
Алина Иванова — 5 суток за репост

Рита Флорес — 10 суток за то, что вышла из дома
Сергей Росс — 9 суток за сториз во время выборов

Разглядывая нацарапанные надписи, я заплакала слезами облегчения: я не одна. Оказавшись возле этих надписей, сделанных руками людей, которых я знаю, я больше не чувствовала себя настолько потерянно. Надписи заговорили со мной и открыли возможность коммуникации, то есть ровно то, лишением чего меня пытаются наказать.

Мои мысли прервал мужской голос, донесшийся со второго этажа. Из зарешеченного окна на меня весело смотрела бритая темная голова с отверстием на месте переднего зуба:

— Как звать? Сколько дали? Ууу, 15 суток, а у меня 5, вождение в пьяном виде. Одна? А нас тут, дай посчитаю, шестеро уже. За картинку в интернете? Политическая, что ли? За Навального? Ну пиздееец... Пиши заявление, чтобы тебя к нам перевели, я серьезно, чё ржешь, мы тебя тут не обидим. А чё за картинка? Хуйню, что ли, какую-то понаписала? А ты замужем? Дети есть? Ну ты не обижайся, это я так. Мы, если чё, в первой хате, свисти.

Я пообещала передать первой хате упаковку сыра. Вернувшись с прогулки, я почувствовала себя повеселевшей. Поразительно, что даже такой разговор может возвращать тебе чувство, что ты в своем уме. Так мой поезд начал заполняться попутчиками.

Цепь солидарности

маша

катя

кристина

полина

даша

соня

оксана

лёля

стоим

настя

стоим

аня

стоим

юля

холодно

юлия

холодно

юля

тепло, теплее

стоим

как на физкультуре

стоим

первый

стоим

второй

сидим

в тюрьме

не в тюрьме

свободна

в тюрьме

свободна

в тюрьме

свободна в тюрьме

любит

не любит

любит

не любит

любит

роза

мимоза

гвоздика

астра

ромашка

любит

не любит

любовь

люся

кира

света

карина

3 года

20 лет

42

54

20.2

условно

досрочно

стоим

складываясь в слова

которых нет в словаре

русского языка

русский

судопроизводство

будет вестись на русском языке

ты русская

говори по-русски

у тебя русское имя

фатима

лейсан

гаухар

лия

лилия

наиля

стоим

даша

соня

оксана

лёля

ольга

стоим

скажите

это очередь или что

скажите

а чё вы стоите

скажите

что у вас под одеждой

скажите

чей это заказ

скажите

кто вам за это платит

шлюха

сука

мразь

пизда

шкура

умри

стоим

закрываем глаза

очень холодно

холодно

тепло

тепло

теплее

ветер

теплый ветер

теплый соленый ветер

трава

теплая трава

теплая соленая трава

золотая взвесь

серебряная паутинка

стоим

стоим

девочки стоим

тянем носочек

животы втянули

не девочки тоже стоим

держим

держим

стоим

теплые соленые губы

любимой любимого

белая бретелька

на загорелом плече

цветы передающиеся

из рук в руки

четвертый месяц беременности

капелька пота

выступившая на цветке

сухие травы, отпечатавшиеся на коже

первый день менструации, камешек в животе

насекомое, попавшее в конверт

капля янтаря

капля в море

письма политзаключенным

созвездия

выстроившиеся

в одну линию

даша

маша

лариса

настя

ирина

стоим

поверх государственных границ

стоим

не чувствуя ног

стоим

в тюрьме

стоим

на разных языках

стоим

и когда мы стоим

каждый человек — это шаг

каждая из нас — шаг

ветер

трава

первая ласточка

золотая взвесь

серебряная паутинка

* * *

Так как делать мне в спецприемнике особо нечего, зазор между реальностью и письмом оказывается минимальным: что-то происходит, и я тут же стараюсь это фиксировать. Не знаю, что это — документальная проза, автофикшн или репортаж.

Только что ко мне заходил дневной обход из трех человек. Я заметила, что женщины-полицейские относятся тут ко мне стабильно хуже, чем мужчины. На обходе это тоже проявилось: у меня в стене есть дырка, на полу камеры я нашла гвоздик, и это сочетание позволило мне закрепить на стене расчерченный от руки календарь с днями моего заключения. Часы у меня отобрали, а мне очень хочется следить за расписанием своего поезда. Так вот, именно женщина при обходе заявила, что листочек А5 не может висеть на моей стене, не положено.

Я, кстати, никогда не фанатела по ежедневникам, календарям, туду-листам, дневникам настроения и прочим порождениям экономики позднего капитализма, управляющим нашим временем.

Но здесь это придает мне сил. Я решила, что эти 15 дней не должны быть украдены из моей жизни. Я должна провести их так, чтобы чувствовать себя целостной и занятой. На каждый день я составляю себе маленький список того, что могу сделать. Я умудряюсь даже работать.

Вчера мне передали мою первую передачку, ждала я ее очень сильно. Самые ожидаемые позиции: чистые трусы, шампунь, маска для сна, крем для лица, книжки, кофе. Мне принесли две огромные сумки; распаковывая их, я разговаривала с каждой вещью вслух: разбирать и рассортировывать их было очень приятно.

На соседней пустой койке я разложила предметы, которые должны были сторожить меня: сверкающая упаковка серебристого глиттера, бордовая помада, которую я умею наносить без зеркала, книги и бумага для письма. Задержали меня с шопером "Viva la vulva", с которым я в декабре ездила к морю, на дне шопера я нашла неизъятые сосновую ветку и несколько ракушек. Их я тоже разложила рядом с собой, их настоящая ценность проявилась для меня именно сейчас. В голом помещении, в котором всё было прикручено к полу, покрашено в один цвет и выбелено холодными лампами, вся эта мелочевка напоминала о том, что впереди меня ждет отпуск, если я не буду в день освобождения задержана повторно.

* * *

Гале Рымбу, которая находится
с мужем и сыном во Львове

женщина, сжигающая хиджаб на площади,
вскинувшая руки как горящая птица

женщина, запытанная военными до смерти,
изнасилованная и расчлененная, снятая
на камеру, выложенная в интернет

женщина, прячущая своего сына в подвале
от грядущей мобилизации

женщина, потерявшая сына и считающая
его героем, потому что в его смерти не было
никакого смысла

женщина, ведущая группу поддержки
у активисток с ПТСР

женщина, вскрывшая вены в СИЗО
и не видевшая своих детей полгода

женщина, покинувшая страну из-за уголовного
дела, с чемоданом, собранным чужими руками

женщина, проснувшаяся от врывающихся
в квартиру ментов

женщина, проснувшаяся от звука воздушной тревоги

женщина, сидящая в подвале и слушающая, как солдаты ходят по ее дому

женщина, изнасилованная при собственном ребенке

женщина, похищенная силовиками и увезенная туда, откуда не возвращаются

женщина, пережившая выкидыш из-за стресса

женщина, обнаружившая у себя рак шейки матки через сутки после того, как стала беженкой

женщина, чей дом сгорел на ее глазах

женщина, борющаяся за свое право носить хиджаб на пары в университете

женщина, которую заставляли отринуть своего бога

женщина, которую заставляли признать чужих богов

женщина, которую заставляли признать себя гражданкой государства-агрессора

женщина, с которой обращались как с оккупированной территорией

женщина, которую осматривали на предмет
ненадлежащих татуировок

женщина, у которой из вещей осталась только
зубная щетка, а из родных — никого

женщина, чей дом находится на территории
ползучей границы

женщина, чье предназначение быть битой
охраняется государством

женщина, у которой больше нет денег
на прокладки и тампоны

женщина, промежность которой была
повреждена сначала родами, а потом —
насилием

женщина, умирающая на носилках возле
разбомбленного роддома

женщина, кормящая младенца в подвале

женщина, сменившая паспорт с российского
на украинский и подорвавшаяся на мине

женщина, писавшая тексты о диктатуре и войне,
пронзенная осколком во время репортажа

женщина, подшивающая под себя мужскую
военную форму

женщина, зашивающая чужие раны
и вынимающая осколки

женщина, расклеивающая антивоенные
послания и отбывающая за это наказание

женщина, спящая с незнакомцем, от которого
зависит, будет ли у нее жилье

женщина, смотрящая в одну точку
неподвижным взглядом

женщина, закрывающая глаза и представляющая
себя по грудь в золотистой воде

женщина, замечающая легкое покалывание
во всем теле

женщина, вспоминающая свое девичество
и улыбающаяся сама себе

женщина, чувствующая себя везде как дома

женщина, видящая других женщин и машущая
им рукой через государственные границы

женщина, вспоминающая, что она на самом деле
любит из еды

женщина, окруженная тремя поколениями
других женщин

женщин, которых не били
не насиловали
не пытали

женщин
чьи тела не изношены политикой и войной

чьи голоса поют на всех языках
как на родных

* * *

Мне нравится, что этот текст не претендует на отображение какого-то уникального опыта, не является неким первым свидетельствованием, а как раз наоборот, он затеряется среди других подобных текстов, он просто еще один текст в ряду женской лагерной и тюремной прозы.

Сегодня мне положен звонок, попрошу мужа привезти «Крутой маршрут» Гинзбург или книгу Ярмыш «Приключения в женской камере № 1». Хочу окружить себя чужим опытом, чтобы осознавать, что я пока легко отделалась, и не катастрофизировать. Но при этом и не лишать себя права на описание, несмотря на то, что это еще не тюрьма (а многие люди сейчас сидят в тюрьме).

Очень хорошо сейчас понимаю, о чем пишет политзаключенная Алла Гутникова, рассказывающая, что ее домашний арест не так плох в сравнении с тюремным отбыванием. Бедные мы девочки, даже в таких ситуациях чувствуем себя самозванками, занимающими чье-то место. Точнее, наоборот, не занимающими некое «настоящее» место. Тяжелое по-настоящему, в отличие от нашего. Место женщины на кухне, место женщины в сопротивлении, место женщины в тюрьме.

Перед ужином ко мне заглянул доктор, так как я поступила в спецприемник с отитом и температурой. Меня повели в медкабинет этажом выше. Дали градусник и посадили на стул. Наше молчание доктор прервал вопросом, нравятся ли мне шторы в его кабинете. Честно говоря, мне совсем не нравились шторы с бежевыми блестящими цветочками, но я настолько была рада видеть хоть что-то кроме грязно-голубых стен, что в ответ на вопрос я кивнула. Доктор, уж не знаю от скуки или сострадания, не торопился меня выпроваживать.

Он рассказал, что принес шторы из дома, чтобы кабинет был поуютнее, потом показал на зеленый диванчик и картинку с пейзажем, чтобы подтвердить свои слова. Пока температура замерялась, он расспрашивал меня о том, как я тут оказалась. Рассказывал про свое образование и про то, как живет на пенсии, как ему нравится его работа. Я была благодарна даже за этот разговор и активно его поддерживала, уточнив, наконец, Алёхина ли сидит в 7-й камере. Нас с Машей специально рассадили по разным хатам, чтобы не дать нам скрасить отбывание срока интересными разговорами.

— Ой, Алёхина у нас частенько бывает, ну, мое дело лечить людей, а не судить их, хорошие они или плохие, Лёша Навальный у нас сидел раза три, да, помню его, вежливый такой. Честно говоря, впервые слышу, чтобы кто-то тут сидел вот за то, за что вы сидите.

Температура у меня по-прежнему держалась. Чувствовала я себя странно, было ощущение, что реальность и я всё никак не можем совпасть в одном месте и времени. Мне дали анальгин и глицин, и я направилась обратно в камеру.

После ужина я подумала, что свидетельств всегда должно быть как можно больше, потому что в будущее дойдут единицы текстов. Тут дело даже не в каком-то признании, а в том, что каждый текст о терроре — это пущенная стрела, тонкая и хрупкая, чаще всего бьющая мимо или перехваченная в полете. В цель попадут единицы текстов, до чужих рук дойдут единицы текстов, это всегда про везение и череду обстоятельств. Надо использовать свои попытки для увеличения общих шансов.

* * *

по нормативам
длина братской могилы
должна составлять 20 м
ширина 3 м
высота 2,3 м

разработка этого документа
носила плановый характер

нештатные формирования
гражданской обороны
будут заниматься следующими видами работ:

разработка котлована для устройства братской
могилы
подготовка котлована для захоронения тел
(останков)
подготовка тел (останков) погибших для
захоронения
раскладка первого ряда тел (останков)
погибших в братских могилах
засыпка первого ряда тел (останков) погибших
раскладка второго ряда тел (останков)
погибших в братских могилах

засыпка второго ряда тел (останков) погибших
засыпка братских могил

подготовка документа
носила плановый характер

для погребения 1000 человек
потребуется привлечь
две единицы инженерной техники
и 16 человек личного состава команд
по срочному захоронению трупов

работа по разработке
этого документа
носила плановый характер
в свете новых требований
развития государства

заявил представитель

всё идет по плану
своих не бросаем

заявил представитель

работайте братья
чтоб ни страны ни погоста
чтобы телами
выкладывать букву Z
по плану по ГОСТу

заявил представитель

* * *

Сегодня вечером я, как обычно, говорила по-русски.

Мы сидели в маленькой комнате и пили водку. Подруга сказала: «Нам пора уезжать из страны». Муж сказал: «Надо успеть всё вылечить по ОМС перед отъездом».

У меня болит зуб, и мне не хочется идти к стоматологу.

У меня болит левый яичник, и мне не хочется идти к гинекологу.

Я боюсь.

Я так долго откладывала поход к врачу,

Что теперь это не просто поход, а телесно-ориентированное прощание с родиной, ёбаной родиной, чьё необозримое тело пугает меня, когда я остаюсь с ним один на один.

Нам пора уезжать из страны.

Я никогда не воспринимала эту фразу всерьез, но я слышу ее десять лет ежедневно от разных людей и всегда улыбаюсь — «это не обо мне». Я из Омска, я выросла с фразой «не пытайтесь покинуть Омск», но всё же покинула.

Если вовремя не вылечить зуб, начнет умирать его корень. А если и со мной то же самое? В один день я проснусь и не вспомню, как сказать вот это по-русски. Я могу остаться в России, проснуться и не вспомнить, как это называется по-русски, ну вот это чувство, когда заходишь в лифт своего дома, а в лифте написано «1488», или вот это чувство, когда подруга пишет тебе, что за ней следят, как же это назвать по-русски, на языке своей родины?

Надо успеть всё вылечить. Лечь спать с полным ртом земли. Положить на живот теплую степную лисицу. Я всегда чувствовала себя бездомной и бессемейной, но когда ты сказала «нам пора уезжать из страны», у меня забилось сердце сразу в нескольких точках, их можно соединить невидимой линией и получить маршрут, но я не буду этого делать.

Я боюсь стать мигранткой. Я вижу, что значит стать мигранткой. Я потеряю всё, хотя у меня ничего и нет. Никто не поймет, как на самом деле я говорю, какие сложные прекрасные мысли в моей голове. На чужом языке я так никогда не смогу. Я стану невидимой со своим вылеченным зубом, здоровым яичником и раздутым эго. Серьезно, тебя пугает ВОТ ЭТО?

Иногда я ощущаю себя такой просторной, такой вневременной. Меня не пугают ни тюрьма, ни обыски, ни насилие. А потом я резко сжимаюсь в одну ноющую тяжелую точку, такую же точку я чувствую где-то глубоко под зубом и где-то глубоко в животе. Я превращаюсь в пульсирующую червоточину — и меня нет вне моей родины. Вот как я себя чувствую.

Недавно я выучила несколько имен репрессированных и политзаключенных на случай, если удалят все списки. Если каждый выучит по чуть-чуть, то у них не получится ликвидировать нашу память. Жаль, что это так не работает.

Президенту пишут речи про половцев и печенегов. Спичрайтеры и референты не уходят в субботу на выходные, в субботу работы больше всего. Их тексты — это просто работа.

Как хорошо, что мы не успели взять ипотеку, — говорю.

Первое время будем жить втроем — так дешевле и легче, — говорю.

Идиотка, — говорю.

Нам пора уезжать из страны, — говорю.

Я не уеду, — говорю.

Буду вечно писать этот текст, чтобы не уезжать, не пойду к врачу, сгною себя заживо в родной земле, — говорю.

А нахуя, — говорю.

Устроила тут трагедию, — говорю.

Дом находится там, где ты жива, — говорю.

Я патриотка, — говорю.

Мне страшно, — говорю.

Почему политики боятся сказать, что им страшно?

Почему такие тексты, как этот, считаются стыдными и пораженческими?

Почему чувство утраты не считается эмансипаторным?

В один день я проснусь и не вспомню, как сказать вот это по-русски. И в этом не будет ничего страшного.

* * *

Где вы были 8 лет? — мы стояли в цветочных венках на Марше мира, мы случайно оказались на Болотной площади, мы старались казаться взрослее, чем есть, восемнадцатилетние, двадцатилетние, мы сидели ночью на кроватях своего общежития, когда убили Немцова, мы все набились в одну комнату и молча сидели у экранов своих компьютеров, выбеливающих наши лица до неузнаваемости.

Где вы были 8 лет? — сбегали от фсбшника, пытающегося прийти на наш студсовет, целовались у мокрой сирени, пахнущей чем-то мандельштамовским и модернистским, включали гимн Украины в вагоне метро, учились произносить политические слова и стыдились своего произношения, смотрели, как мужчины на митингах говорят в мегафон, сами говорили в мегафон, срывали пропагандистские лекции про пожары оранжевых революций, кормили бездомных на площади трех вокзалов горячей едой, ездили в детские дома, молились в храме, врали маме, ненавидели красивых женщин, нихуя не видели со зрением −10.

Где вы были 8 лет? — ходили с плакатом каждый день, помогали пострадавшим от насилия, были пострадавшими от насилия, были изнасилованными, были битыми, были разъяренными, преподавали детям, не могли смотреть на себя в зеркало, не умели говорить «нет», учились говорить «да», повторяли чужие слова и стыдились этого, говорили своими словами и стыдились этого, верили в ненасильственный протест, разговаривали с любым человеком, плакали от каждого разговора.

Где вы были 8 лет? — искала виноватых, была виноватой, работала на государство, была уволена за активизм, создавала пространства, в которых не страшно самому стать пространством, создавала пространства, в которых не было воздуха, писала стихи, которые не изменили мир, писала статьи, которые не изменили мир, читала стихи и статьи, которые не изменили мир, но изменили меня, старалась помочь, когда меня об этом просили и когда не просили, собирала деньги, отдавала деньги, ходила на выборы, пыталась помыслить будущее, пыталась возвести будущее, в котором равенство и отсутствие насилия не кажутся пределами утопического, училась не заваливать горизонт утопии, училась слушать и молчать, когда говорят другие.

Где вы были 8 лет? — я была тут, рядом, проживающая и дистанцирующаяся, берущая на себя слишком мало и слишком много, учащаяся соли-

дарности, центробежная и центростремитель-
ная, горизонтальная и вертикальная, проебы-
вающаяся и просящая прощения, рыдающая
и хохочущая на терапии, замирающая от стука
полицейских в дверь, поющая в спецприемнике,
ставящая себя выше других и ни во что себя
не ставящая. Я была тут, поэтому у меня никогда
не получится сделать вид, что меня тут не было,
что это всё не со мной и не про меня, но только
правда в том, что это всё *не со мной и не про меня*,
и мне не место в центре повествования, находя-
щегося под обстрелами, пулями и осколками, повествования, расходящегося кругами от звука
воздушной тревоги.

* * *

Сегодня у меня появился поклонник из четвёртой хаты, Рустем из Баку. Рустема взяли на 15 суток за наркотики. Окна наших камер находятся в углу двора, так что, выглядывая из своего зарешеченного окошка, я вижу его окно, между нами меньше двух метров. Выслушав мою историю, он громко сказал, что Путин — хуйло. Это первое, что рассмешило меня сегодня. Мы поболтали минуты три, но с тех пор Рустем не может забыть обо мне ни на час. Он свистит, кричит, зовёт меня Дашенькой, кидает в окошко сухари, стучит в стену. Когда его проводят на обед мимо моей камеры (почему-то меня кормят в камере, а его — в столовой), он барабанит пальцами в мою дверь. Молодой дежурный в форме даже отчитал его, рассказав что-то о том, что надо соблюдать чужое «личное пространство». Полицейский на страже моих границ — какая двусмысленная ситуация.

* * *

Вот уже третье утро подряд я благодарю свою жизнь за то, что в 2021 году сокурировала шелтер для выгоревших активистов. Полгода мы вели практики самопомощи, так что ретрит я теперь могу устроить и в камере. Я могу создавать здесь свою событийность и распорядок дня, находясь в полном одиночестве.

Зарядка, тщательная (насколько это здесь возможно) гигиена, сервирую сама себе завтрак в пластиковой посуде, наряжаюсь, пою, читаю, пишу, не пропускаю прогулки. Цель таких заключений, как мое, довольно простая: убить в активистке активистку в назидание другим, подорвать мои силы и здоровье. Я делаю всё, чтобы мои силы остались при мне, — так их наказание не будет иметь должного эффекта.

Я пью много воды и много ссу. В туалете не работает смыв, это просто дырка, поэтому, чтобы не пахло, я набираю в бутылку воду из крана и делаю смыв самостоятельно. В день поступления мне вручили ершик. Мысль о том, что мне нужно будет как-то проталкивать собственное дерьмо в дыру неработающего толчка, глубоко меня оскорбила и рассмешила. Удивительно, конечно, какая я цаца: первым делом я обтерла в камере влажными салфетками каждую поверхность.

Со стулом то ли от нервов, то ли от перебоя с едой у меня начались проблемы. Точнее, проблема заключается в его полном отсутствии. Честно говоря, не понимаю, почему я так сдержанно пишу на эту тему, будто это сейчас не публикация на клочке бумаги и будто я не окружена решетками и стенами. Скажу прямо: срать тут невозможно.

Второй день делаю себе массаж живота, но чувствую только его тугое сопротивление. Ко мне почти не доходит белок, одни углеводы, много хлеба, мало клетчатки. Наверно, дело в этом. Или мое тело хочет оттянуть момент, когда мне придется иметь дело с дырой в полу.

В здании суда, из которого меня сюда доставили, я специально посетила туалет три раза, зная, что унитаз я увижу нескоро. Ну и еще это был мой способ отлучиться поплакать. Я не хотела, чтобы майорша Цымбалова или полицейские видели мои слезы, а плакать я люблю и умею. В том, чтобы показывать слезы, нет ничего слабого и стыдного, слезы — это часто про силу и красоту, а силовики пока ни того, ни другого в моих глазах не заслужили.

* * *

Иногда человек умирает, а ты знаешь так много людей, что не помнишь, кем именно тебе приходился этот человек со светящимся лицом, умерший позавчера.

Открываешь его страницу в фейсбуке или инстаграме, смотришь, что вас связывало, была ли переписка. Видишь, что не ответила на его запрос. Нажимаешь «принять». Готово, теперь вы навсегда в друзьях друг у друга.

Я никогда не отклоняю запрос от незнакомых мертвых людей. Я никогда не отказываю мертвым. Я представляю, как электрические импульсы, расходящиеся от их жизни, коснутся меня и сольются с ударами моего сердца. Это не прибавит мне памяти о них или причастности к ним, но в этом есть что-то иное, будто подставляешь лицо под летний дождь и одна из тяжелых капель попадает тебе на язык, смешиваясь с твоим телом, как густая тревожная краска. Та самая краска, которая зальет твои щеки, когда ты признаешься кому-то в любви. Или во лжи.

Мои мертвые друзья не лгут и не срывают встреч. Думаю, те, кто их по-настоящему любил и знал, ненавидят таких, как я, — завороженных литературными зрелищами, вовлекающих в свой нарратив тех, кто не имел к нам никакого отношения. Смотри, с этим мертвецом вы подписаны на одних и тех же певцов. А этот мертвец писал «нет войне» и был убит осколком на редакционном задании. А этот мертвец отправил тебе сообщение, но тебя арестовали и ты не успела ему ответить.

Мертвые аккаунты, цифровые светлячки, мерцающие зеленые огоньки. Была онлайн в 22:13. Был онлайн в 07:25. Были онлайн недавно. Публикации и тексты, в которых глаголы настоящего времени остаются в той же грамматической форме. Я люблю. Я хочу. Я не понимаю.

Мы, изучающие мертвых, думаем, что они говорят с нами. Что они что-то сообщают нам и про нас. Что они сопровождают нас, как призрачные экспликации, призванные пояснять наши действия и смыслы друг другу. Мертвые инструментализированы нашим воображением, государством, войной, любовью, ненавистью, искусством, политикой, памятью. Мертвые антропоморфны, проинтерпретированы и завершены, нам кажется, что мы можем читать их в любом направлении, с любой страницы, с середины или от конца к началу. Мы наделяем их своими причинно-следственными связями, соединяя те точки, которые доступны нашему взгляду.

Мертвые каждый день испытывают нас, заполняя наши сознания и наши тела. Я благодарна им и за дружбу, и за великую тишину, в которой, как космос, может разворачиваться мой ум, населенный всеми этими дождями и звездами.

* * *

Сегодня при выходе на прогулку я не забыла положить ручку в карман пуховика. Мне тоже хотелось оставить на стене надпись и стать частью
бесконечной коммуникации, которая однажды
поддержит кого-то еще. Свое имя и срок задер-
жания я написала рядом с именами друзей и знакомых — других активистов, отбывавших тут
свои дни. Я боялась, что меня застукают за этим
занятием, но врасплох меня застал только знакомый голос со второго этажа.

Тот же мужчина начал задавать мне те же вопросы по второму кругу. «Зачем тебе эта политика, прославиться, что ли, хочешь?» Сил спо-
рить у меня не было, поэтому я просто махнула
рукой и отошла в другой конец двора.

Даже в таком маленьком заключении, как мое,
успеваешь столкнуться со всем лучшим и худ-
шим, что в тебе есть человеческого. Мое по-
жизненное устремление быть хорошей девочкой и всем угождать (и «пусть меня съедят», как
писала Марина Тёмкина) с неожиданной силой

вылезло под присмотром силовиков. Хотелось быть тихой, маленькой и жалкой, вызывающей сострадание. Видимо, так в некоторых случаях я реагирую на опасность. Будь милой — и они тебя не съедят. Будь милой — и, может быть, телефон тебе оставят на пару минут дольше. Говори «спасибо» и «добрый день» — и, может быть, тебя отпустят? Как авторка «Девочек и институций» — книжки о странной работе в государственных учреждениях, — я, конечно, уже понимаю пределы договороспособности этой системы. С другой стороны, как выросшая в ситуации домашнего насилия, я просто пыталась не злить агрессора. В глубине души зная, что это мне никак не поможет.

В спецприемнике тебе почти ничего не объясняют. Условия и порядки меняются в зависимости от дежурного и его готовности нарушать правила. То можно просить выключать свет, то нельзя. То можно передавать еду в соседнюю хату, то нельзя. Куда девать мусор? Можно ли вешать пакет с едой за окно? Прятать лекарства или нет? Как устроено расписание?

Зато мне недавно передали радиоприемник, а мои друзья пытаются заказать мне песню на «Радио Дача». Теперь у меня появилась музыка, это огромное облегчение. Прыгала сегодня на койке под «Девчонка-девчоночка, темные очи» и какие-то песни Евы Польны. Мне передают много вещей, книг и еды.

Периодически мне становится не по себе, когда я понимаю, что в камеру к моим соседям через стенку практически ничего не приносят. Там сидят десять мужчин — как граждане РФ, так и несколько мигрантов. В общем, я прошу у друзей чуть больше еды, чтобы передавать гостинцы в другие камеры. Надо не забыть закинуть им сегодня сыра и яблок.

На смерть Путина

и травинка и лесок
даже в поле колосок
каждый день тебе пророчат
пулю в лоб или в висок

«чтоб ты сдох» — поет река
«чтоб ты сдох» — бежит строка
ее выложили в небе
золотые облака

птички, небо голубое —
это всё мое родное,
ну а ты и после смерти
не найдешь себе покоя

ай люли да ай люлю
хорошо у нас в раю
тут воскресшие олени
кровь пьют мертвую твою

✳ ✳ ✳

Я хочу просклонять слово «война».

Война, войны, войне, войну, войной, о войне.
В родительном падеже я по привычке спрашиваю: «Нет кого? чего?» — «Войны». Но война
есть.

Пять месяцев я нахожусь в Феминистском ан-
тивоенном сопротивлении. Из этих 140 дней
войны какую-то часть я находилась в России. Потом я была вынуждена уехать.

Хотя что значит вынуждена? Что бы меня ждало
на самом деле? Я не знаю. Почему-то всё равно
не могу представить, как меня сажают в тюрьму.
По ночам я трусливо просыпаюсь в другой
стране, у которой мы тоже отняли огромный ку-
сок земли, и встаю, чтобы пойти на кухню за ста-
каном ледяной воды, которую предоставляет
мне эта страна. Я просыпаюсь и по привычке
пытаюсь встать с кровати с другой стороны: видимо, тело, засыпая, оказывается дома и в каком-то другом хронотопе, в котором оно еще
способно спать.

Война рутинизируется для всех. Одесситы, загорающие у взрывоопасного моря. Антивоенные активисты, сонно переминающиеся в очереди у здания суда. Полицейские с залитыми потом глазами, мечтающие о том, чтобы никого сегодня не пришлось таскать по такой жаре по отделам. Работники похоронных бюро, смахивающие мух с пластиковых венков, подготовленных для грузов 200.

На войне наступило лето. У войны наступило лето. Кровь быстрее высыхает на солнце, кровь быстрее выветривается из памяти людей, отдыхающих на российских летних верандах, кровь не нуждается в импортозамещении — это всегда чужая кровь. Хотя нам уже как будто и своей крови не жалко.

Люди хотят жить свою жизнь. Даже мертвые хотят жить свою жизнь. Люди хотят сидеть в кафе, целоваться, рожать детей, запускать друг другу руки под влажные футболки. Люди не хотят войны. Но люди идут на войну, даже когда не хотят войны. Они раздваиваются и идут. Смотри, этот мужчина в двух местах сразу — он одновременно целует в лоб своего ребенка и пускает пулю в лоб чужого. Как вообще говорить о войне? О ком? О чем? — О войне.

Люди хотят быть счастливыми. Уехавшие хотят быть туристами, а не бездомными. Оставшиеся хотят немного праздника, пока они еще на свободе. Вышедшие из бомбоубежища — не имею права говорить, чего они хотят. Думаю, они хотят выжить. Необходимо выжить, чтобы быть счастливыми.

Война, войны, войне, войну, войной, о войне. Мы не можем, не рискуя свободой, называть войну войной. Войну войной. О войне. На войне, с войны, нет войны, нет войне. Склоняя войну, я чувствую, как это слово лишается смысла, превращаясь в набор невнятных звуков. Вой на твой не йна йне. Повторять слово до тех пор, пока оно не превратится в мясную отвратительную кашу. Чтобы больше никто и никогда не смог его повторить.

* * *

Нежность, с которой память замедляет распад твоего дома, невозможно вынести.
нежные-нежные трещины, разветвляющиеся как молнии, как оленьи рога.

медленно развевающиеся горящие флаги — единственные флаги, которые я приемлю, — горящие триколоры, обращающиеся в пепел: я желаю пепла своему дому.

о, как я желаю пепла своему дому.

я почувствую тепло только тогда, когда он будет гореть. к такому костру я пришла бы погреться, не сдерживая слез. я обрету свой дом, когда он будет в огне. я как животное, заклейменное раскаленной меткой: мой тлеющий дом всегда во мне. он отзовется ожогом.

я закрываю глаза, чтобы почувствовать, как мои ноги стоят по колено в холодной траве. чтобы ощутить чью-то руку на своей спине и дыхание в шею. пепел летит снизу вверх, и я плоть от плоти этого пепла. каждый мой поцелуй — пепел, каждый волос — пепел, мой дом — пепел, осевший на уродливом лавровом венце.

мой дом поджег меня. нежность, с которой память замедляет мое горение, невозможно вынести. нежный-нежный огонь, расползающийся как лужа крови. флаги, залитые кровью, — это единственные флаги, которые у меня остались, они никак не хотят загораться и чадят, издавая черный запах чужой земли.

* * *

в спецприемнике всё на своих местах
мебель прикручена к полу
большими шурупами

каждое утро обход
маленький обыск
чужие пальцы перебирают
твои пожитки
что они ищут?

я улыбаюсь каждому человеку в форме:
здравствуйте
добрый день
не подскажете который час
спасибо за кипяток

я превращаюсь в тихий
вежливый интерфейс
пока мое сознание прикручено
к полу камеры № 5
большими шурупами
а послушное тело
сидит в его изголовье

мы раздвоились
подчиняясь чужим приказам
не подчиняясь им

мы треснули и на поверхности
выступило вулканическое вещество
золотая магма
которая, остывая,
дымится на улице
во время полагающейся прогулки

мы идем по двору
длиной в 40 шагов
вот уже вторую неделю
там лежит нетронутая синица
ее крылья мягко приоткрыты
а впавшая головка покрыта снегом

я хочу ее погладить
но не трогаю
то ли из уважения к ее смерти
или к смерти вообще
то ли из уважения к своей свободе
этого не делать

во время проверок
мы прячем нашу дымящуюся рану
наш тектонический сдвиг
мы натягиваем вторую плотную кожу
под которой не видно
извержение иного субъекта

в спецприемнике нет зеркал
к концу первой недели не помнишь,
как выглядит твое лицо
«зеркалом можно убить себя»
говорит человек в форме
а я и не спорю
представляя, как отраженная кровь
течет, умноженная на два

зеркалом можно убить
не узнав себя в нем
можно покончить с собой
и начать с кем-то иным

способным оживить мертвую птицу
своим пепельным сухим дыханием
или пресечь заячье бормотание
судьи, выносящего приговор,

способным преодолеть раздвоение
и мигрировать вслед за сердцем
от тела к телу, от границы к границе,
как от дома к дому,
а не как от камеры
к камере

* * *

на смерть Дарьи Дугиной

Неостывшие тела мертвых идеологов расчелове-
чивают мой текст до неузнаваемости.

Думаю, даже тел от них не останется, останется
пепел, дым и ощущение как от активированного
угля во рту, угля, который судорожно пытаешься
проглотить без воды.

Это мой первый танец на костях, и я исполняю
его цинично и радостно, принимая милитариза-
цию собственной пластики.

Этот текст пишется по следам взрыва, не выжи-
дая деликатных пауз, не уважая чужую скорбь, он
действует по заповедям отца — убивать, убивать,
убивать, — так отец убил свою дочь, инструмента-
лизировав ее. Бунта не произошло — плоть при-
жилась к плоти, прах к праху, яблоко к яблоне.

Отец, в ужасе вглядывающийся в огонь своей дочери, — я увидела в тебе будущее, это был един-
ственный раз, когда ты выглядел как пророк
и был пророком в своем отечестве, мне было бы
жаль тебя, но такие, как ты, сделали так, что та-

кие, как я, больше ничего не чувствуют. Вы хотели власти над нами — так вот она.

Это чудовищный текст, его пишет чудовище и он пишется о чудовищах. Вопрос о том, есть ли на самом деле между нами разница, остается открытым. Война, отражаясь от нас, меняет нашу отражающую поверхность. Я смотрю на тебя, смотрящего на огонь, и слышу раннюю музыку Курёхина, в которой ты еще не успел укорениться.

* * *

Не могу отделаться от впечатления, что люди, против желания покинувшие свою родину, еще долго выглядят обескровленными. Я встречаю знакомых активистов на витиеватых тбилисских улицах — почти все они загорелые, но под загаром всё равно проступает что-то болезненное и анемическое. С начала вторжения и особенно после эмиграции я по возможности избегаю знакомых — при взгляде на них у меня темнеет в глазах, будто я резко встаю, чтобы уйти. Кажется, мне пора сдать кровь на железо.

Я никогда не сдавала кровь в другой стране. Моя страна сейчас проливает чужую кровь на чужих территориях. Врач в лаборатории грубо цепляет мою вену, кровь проливается мимо, мы смеемся, мне больно, но я благодарю ее по-грузински. Я чувствую себя обескровленной, голова кружится.

Однажды я курила у кафе и слушала, как незнакомый мне парень рассказывал кому-то о своем воюющем брате, уже получившем орден за мужество. Он говорил по-русски, так что я подумала, что передо мной россиянин, который поддерживает Путина и войну, но почему-то ошивается в Тбилиси. Я была готова развернуться и послать его нахуй. Потом к нему подошел кто-то еще, парень перешел на украинский, а я перешла на другую сторону улицы, матерясь себе под нос и представляя, какую ситуацию я бы сейчас создала.

Кажется, грузины не всегда понимают, украинцы перед ними или русские. Несколько раз мне в качестве приветствия говорили «Слава Украине». Имею ли я право ответить «Героям слава»? Понимают ли они, что я не украинка, а россиянка с украинской фамилией? Или со мной всё ясно, а это такая проверка меня на мои взгляды? Героям слава, героиням слава.

В Тбилиси я встретилась со своей бывшей психотерапевткой из Киева. Думаю, мы перестали быть клиентом и терапевтом ровно в тот самый момент, когда она спустилась в бомбоубежище. Война смещает границы не только между государствами, не только между живым и мертвым, она смещает любые границы, но я не была на войне, я могу об этом только догадываться. Помню, как она говорила, что пока не может выйти со мной на связь, в бомбоубежище почти нет интернета. Я по инерции отвечала, что ничего, созвонимся, наверно, попозже. Спустя полгода мы сидим в Тбилиси и я подбираю слова, чтобы спросить ее о войне. Сама я могу рассказать только про диктатуру.

Я всегда считала, что письмо — это убежище. Но письмо не может никого спасти от бомбежек и взрывов. Стены письма — это самые тонкие стены мира, они тоньше бумажного листа. Я даже не уверена, что они на самом деле существуют. Чтобы оправдать письмо о себе в разгар катастрофы, я делаю всё остальное не для себя. Только в письме я совпадаю сама с собой и не хочу чувствовать вину за это. Даже если вы придете и скажете мне, что я не имею права на такое письмо, я пожму плечами и останусь здесь, мне больше некуда идти. Для меня письмо непрерывно, как бытие, и неотъемлемо, как дыхание. Но если вы пожелаете мне смерти, я, кажется, смогу принять это без обиды и гнева.

С тех пор как я уехала из России, мне кажется, что я ношу в себе тухлую застоявшуюся кровь. Что-то во мне замедлилось. Я не верю, что человек и земля связаны изначально какой-то невидимой пуповиной, я не ощущаю эту связь как естественную и природную. Эта связь возводится год за годом, и чаще всего ее положено выстрадать. Все эти годы я училась любить свою страну, но я так и не смогла понять, что именно я полюбила.

* * *

Мы с Машей «политические». У этого статуса
есть свои плюсы и минусы, как я успела понять.

Плюсы:
мы под общественным надзором;
в отношении нас реже нарушают правила,

Минусы:
строже предписания сверху;
не дают ни с кем контактировать.

Сегодня в камере с самого утра много солнца
и воздуха. Не думала, что почувствую прибли-
жение весны вот так. Я открыла створки окон,
сквозь металлические решетки виднелись мок-
рые еловые лапы, отовсюду капал тающий снег.
Утренняя проверка меня развеселила: новая
дежурная ахнула, обнаружив, сколько у меня
тут еды, вещей и книг. «Добро пожаловать
в вип-камеру», — бодро сказала ей я и сделала
потише классическую музыку, доносящуюся
из радиоприемника. Сегодня я жду прогулки
особенно сильно, хочется застать уличный
свет.

Когда меня наконец выпустили погулять, время света уже закончилось и двор был покрыт грязноватым февральским сумраком, который начинается чуть ли не с трех часов дня. Двор был внутренним и глухим, то есть туда чисто технически выходили окна первого этажа, но все они были либо заложены кирпичами, либо наглухо зашторены детскими простынками с другой стороны. На одном из карнизов такого мертвого окна лежала мертвая синица. Ее крылышки были мягко приоткрыты, а голова вжалась в маленькое тельце. Мне очень хотелось подышать на нее так, чтобы изо рта вылетело облачко теплого пара, но я боялась ее смерти.

Утром пятого дня я впервые не смогла проснуться к завтраку: ощущения были такие, будто я всю ночь проспала не под одеялом, а под чьим-то мертвым телом. Встала я только к обходу: сегодня нас обходили две женщины и один мужчина. Одну из женщин я уже запомнила: белобрысая и хабалистая, она вела себя мерзее всех и без труда ставила на место орущих арестантов из соседней камеры. Сегодня на обходе она забрала у меня мою бордовую матовую помаду под предлогом того, что у нее металлический корпус. Она же два дня назад забрала у меня лекарства, выданные доктором. Когда за ними закрылась дверь, я села на кровать и судорожно заплакала. Не знаю, почему именно помада довела меня наконец до слез. Я винила себя за то, что не спрятала ее как следует, но я была уверена, что уж ее у меня не отнимут. Я не могла видеть свое отражение, но всё равно начала казаться себе болезненной и лишенной цвета.

Когда меня внезапно позвали на свидание (разрешенное только однажды за весь срок), я ничего не почувствовала. Разговор с мужем, по которому я, безусловно, скучала, прошел для меня как во сне. Нам дали всего двадцать минут, посадив в комнатке для свиданий за разные концы одного стола и запретив обниматься. В комнатке был стол, два стула и отходная дыра в полу, видимо, на случай, если кто-то во время встречи захочет справить нужду прямо при партнере по свиданию.

* * *

Первое, что я в детстве узнала про ядерное оружие, — это то, что оно нужно для всеобщих баланса и безопасности.

«Ядерное оружие нужно всем», — говорили мужчины за ужином и занюхивали крепкий алкоголь затылками подвернувшихся детей.

«Если бы у меня дома была кнопка, от этих американцев и китайцев давно бы ничего не осталось», — говорили они под одобрительный горловой рокот друг друга.

С тех пор я начала ощущать в себе эту пульсирующую красную кнопку, всегда холодную от старческого дыхания холодной войны, — кнопку, нужную для баланса и безопасности, удерживающую меня и других от смерти каждый день. Я всё поняла по-своему: чтобы жить, надо жать на кнопку не переставая, ведь как только ты устанешь и отожмешь палец, мир вспыхнет и погаснет в одночасье, как поверхность экрана, и погрузится во мрак. Я не могла этого допустить и всегда держала нажатие кнопки под контролем, несмотря на то, что она перемещалась по всему моему телу и обнаруживалась в разных местах, иногда самых укромных и уязвимых.

Взрослые умели жить гармонично, с их языка не сходило выражение, что надо следить за "war/life balance": нельзя жить только за счет влечения к смерти, надо хотя бы иногда дышать полной грудью, ведь завтра может никогда не наступить. War/life balance — это важнейший навык, то, чему должны учить с детства. Нас этому и учили: сначала мы смотрели в новостях, как сбрасывают бомбы на Грозный, а потом бежали есть суп, из которого нужно было выковырять весь вареный лук. Во дворе мы играли в войну: пленные мальчики и девочки грустно сидели до конца игры на лавке и ковыряли палками землю. Многие просили их прямо из палок и расстрелять, чтобы выйти из игры и пойти домой, вернувшись к мирной жизни.

Никто во всем мире не знал, что настоящая ядерная кнопка находится у меня. Вот я перекатываю ее под языком, как солоноватый металлический леденец. А вот она стучит в самом центре моей ладони, как маленькое куриное сердечко. Или ныряет куда-то между ног — и я краснею, кажется, кнопка делится со мной чем-то запретным и взрослым.

Однажды мужчины за нашим столом сильно обидели меня. Они посмеялись над моими стихами, которые я с выражением читала всем желающим. Я забилась в самый дальний угол квартиры и яростно плакала, пока в голове не созрел чудовищный план. Я накажу их. Я перестану нажимать на кнопку — и больше ни один мужчина не сможет смеяться надо мной, потому что не будет уже ни мужчин, ни меня, ни смеха. War/life balance, о котором можно только мечтать.

Я прислушалась к себе — кнопка затаилась сегодня где-то в груди, между двумя легкими. Крепко зажмурившись, усилием воли я прекратила нажатие.

Несколько минут я сидела, не решаясь открыть глаза. Горит ли уже весь мир? Начался ли конец света? Жива ли я сама?

Но с кухни до меня донесся всё тот же мужской смех. Мужчины, судя по всему, чувствовали себя расслаблено, сбалансированно и безопасно. Они знали, что их драгоценная кнопка была всё это время в самых надежных руках — в руках диктатора, и он будет служить ей до самого конца.

Говорят, когда я вырасту, я тоже смогу стать диктатором.

* * *

что ты чувствуешь, наблюдая,
как империи раздевают друг друга глазами?
под солнцем какой утопии
пылает твое лицо?

ты еще слышишь в своей крови
нетерпеливое биение будущего?
или твоя кровь — это кровь, по течению
которой
вспять проплывают тела незнакомых врагов?

«ты» еще хочешь свободы, простирающейся
от пределов твоего дыхания
до отсутствия этих пределов?

помнишь, как мы не смогли задуть свечу на
праздничном торте,
но потушили горящую степь, взглянув на нее
сквозь общие слезы?

сейчас мы молча берем дары из рук курьеров,
не глядя в глаза курьеров,
и не понимаем, на каком языке говорить
о свободе

как жить на языке свободы
какие времена есть у этого языка
как на нем выразить будущее, которое
ощущается утраченным,
но которое уже соприкасается с моим телом
оставляя на нем расходящиеся круги

жить так, будто мы вернулись из будущего,
попаданцы без памяти, пытающиеся вспомнить
то, что еще не случилось

* * *

Весь сегодняшний день складывался болезненно и спазматически, как человек с больным животом. Живот у меня кстати и правда болел, от еды тошнило.

В соседней камере не замолкали жуткие крики. Мой знакомый Рустем изо всех сил бился о железную дверь и кричал, чтобы ему дали позвонить.

— Суки, у меня мать умирает! Скажи начальнику, что мать у меня болеет, мне надо узнать, как она, шалава ты ёбаная!

Блондинка отвечала: «А я тут причем?»

— Сука, у тебя мать есть? Мать есть у тебя, я тебя спрашиваю? Откройте!

Рустем перешел на хриплые рыдания. Менты у его двери говорили ему, что, если он не перестанет орать, они накажут всю камеру и телефон не получит никто.

Мне было страшно и было жалко Рустема. Но при этом я понимала, что боюсь его и мне бы хотелось, чтобы он замолчал. Его крик «у тебя мать есть?» отозвался во мне чем-то таким, что мне было сейчас совсем не нужно. Его беспокойства за мать я разделить не могла, его вопрос, заданный, очевидно, затем, чтобы в дежурных включилась эмпатия, меня бы не тронул.

На прогулке я в полной мере почувствовала, что мое состояние оставляет желать лучшего: колени дрожали, в глазах темнело, в висках подрагивало. Я опять стала разглядывать надписи на стенах и обнаружила там полемику, продолжающуюся, кажется, месяцами:

БОГ
НАС
ЛЮБИТ

другим почерком было добавлено

БОГ
НАС
не
ЛЮБИТ

третьей рукой ниже было выведено

БОГА НЕТ

четвертой

БОГ ЕСТЬ

БОГ ЕСТЬ И ОН ЛЮБИТ НАС

К этой дискуссии добавить мне было нечего. Мое представление о боге вполне укладывалось в каждую из этих поправок.

Мой оконный знакомый окрикнул меня, пока я гуляла, чтобы передать привет от Маши: она гуляла вчера.

— Слышь, когда у тебя эпиляция?

Я с недоумением посмотрела наверх. Беззубый знакомый улыбался во весь рот, довольный своим каламбуром. Я рассмеялась. Апелляция будет завтра, но вряд ли она что-то изменит.

* * *

В камере ночь. При тусклом техническом свете я продолжаю читать биографию Сьюзан Зонтаг. В деле, заведенном ФБР на Зонтаг, была ее фотография, подписанная как «подходящая фотография объекта». В мое административное дело, которое мы с защитником успели бегло просмотреть до суда, были включены мои фотографии из паспорта и соцсетей. Так устанавливалось сходство, чтобы доказать, что пост, за который я обвиняюсь в экстремизме, действительно принадлежит мне. Паспортное фото, на котором мне 20 лет, располагалось рядом с фото из инстаграма, на котором мне 28 лет. Абсолютно два разных на вид человека, даже мне сложно было бы установить сходство. Мое фото было тоже подписано как «подходящая фотография объекта». Интересно, кому именно она подходит?

✳ ✳ ✳

Вот я и получила то, что хотела: ко мне подселили соседку. Когда я думала о соседке по камере, я, конечно же, представляла очередную жертву режима, с которой мы будем обсуждать свои возвышенные горести, но никак не хриплую беззубую девушку, попавшую сюда на 5 суток за то, что во время запоя она напала с ножом на своего сожителя.

Я, абсолютно рафинированная и во многом привилегированная девочка, с удивлением наблюдала, как моя сожительница роется в моих вещах и как отказывается от предложенной зубной пасты, рассказывая, что зубы она чистит только тогда, когда они начинают прилипать к губам из-за налета. Саша легла на матрас и подушку, не надев на них казенное постельное белье. Меня окружили запахи немытого тела и алкоголя. Я была в ужасе и испытывала отвращение к самой себе, наблюдающей за ней.

Я решила постараться принять ее как можно лучше: рассказала распорядок дня, показала, как вручную смывать в неработающем туалете, предложила еды. С тоской я при этом думала о том, что соблюдать гигиену места мне будет гораздо сложнее. С омского детства я боюсь пьющих и дерущихся людей. У меня всегда было ощущение, что один неверный шаг — и я могу оказаться на их месте. Во мне куда больше брезгливости и ксенофобии, чем я привыкла думать. Спустя час нашего соседства Саша вскочила с матраса, сняла трусы и показала прокладку, залитую кровью. Я пошутила у себя в голове про годы феминизма, которые готовили меня к этому моменту полной дестигматизации месячных. Завтра надо будет узнать у нее ее историю. Текст дегуманизирует другого человека, как еще одна камера, камера внутри камеры, а я этого не хочу.

Через полчаса к нам заселили Ольгу. Ольгу арестовали на 10 дней за вождение в нетрезвом виде. Если Саше 23 года, то Ольге 42. У Ольги есть своя палатка с шашлыками. Рот у Ольги не закрывается. Когда она сказала «девочки, вы зачем привились от ковида», я надела беруши. Услышав, что ковид был запланирован мировым правительством, я постаралась не обидеть ее своим выражением лица. Ночь предстояла длинная, спать, судя по всему, мои соседки не собирались.

Саша кидалась в меня прокладками и периодически бормотала, что сейчас встанет и въебет мне. Ее раздражали мои книги, мое радио и моя еда. Еду она поэтому поглощала с огромной скоростью. «Ебать, нахуя ты это читаешь, дура, блять».

Думаю, со стороны я выглядела как человек, который явно не вызывает симпатии: в берушах, с горой вещей, с мешками от передачек. Чуть позже Саша сменила регистр своей речи и сказала, что возьмет у меня почитать какую-нибудь из книг. Из всей стопки она выбрала мою, не зная, что это моя. Мне почему-то стало страшно. Она читала мою книгу и курила прямо в камере, в постели, не открывая окон. Наблюдая за ней, я медленно и тяжело засыпала.

Проснулась я спустя пару часов от матерных криков. Саша кричала в потолок от скуки. Ольга тоже не замолкала ни на минуту: она рассказывала Саше, которая, кажется, совсем ее не слушала, про отношения со своим мужчиной. Рассказывая, Ольга ходила из угла в угол. В ней как будто сосуществовали две женщины: одна гордилась, что «наставила этому козлу рога», другая души в нем не чаяла. Пока я спала, Саша завязала дружбу с мужчинами из соседней камеры через окно. Наши окна располагались в угловой части здания, поэтому можно было общаться, сидя на подоконниках, и даже передавать сигареты и спички. Периодически Саша снимала трусы и показывала в окно свой зад, крича им, что дрочить разрешается.

На утреннем обходе сотрудник спецприемника шепнул мне: «А я тебе намекал, что лучше быть одной».

* * *

Сегодня затмение и из-за того, что я знаю об этом,
солнечный свет кажется голубоватым,
невозможно привыкнуть к тому, что в нашем новом дворе
висят налитые кровью гранаты,
и к тому, что за нашими спинами
дети кидаются забродившими мандаринами,
и к тому, что война вошла в наш синтаксис и лек-
сикон,
а к кому-то она вошла в дом,
взорвав этот дом.

В девять лет меня водили смотреть на затмение
сквозь рентгеновский снимок, на снимке были
просвечены мои собственные ребра. Чтобы
не ослепнуть, я смотрела сквозь свою напеча-
танную грудную клетку, но солнце казалось мне
ближе, чем мой скелет, чем моя материальность
и плотность, хрупкость и смертность. Эритроциты в моей крови находились от меня дальше,
чем звезды. Про звезды я знала, про эритроциты — еще нет. В древности затмение считалось
приметой войны, — говорит отец. Он работает

в детской воспитательной колонии, и у меня нет оснований не доверять ему.

Сегодня затмение и 20 лет со дня захвата «Норд-Оста», это было в 2002-м, мне было девять, сегодня мне двадцать девять, я читаю поминутную реконструкцию теракта и понимаю, что в моем детстве не было чеченской войны, не было вообще никакой войны, кроме Великой Отечественной, не было Афганистана, Чечни, Грузии, ничего не было, была одна Россия, могучая воля, великая слава, плывущая как кит по просторам моего сконструированного воображения, я впитывала империю как губка, я обводила Россию на контурных картах с запасом, чтобы она казалась больше, чтобы была самой большой. Безобидная детская жадность или red flag — флаг моей страны?

Террористы передают родственникам заложников: «Выходите на митинг на Красную площадь, требуйте остановить войну, и тогда мы отпустим всех детей». Полиция не пускает родственников с плакатами «Нет войне», «Выводите войска». Никаких уступок террористам, только насилие, только война. Никаких митингов на Красной площади ни тогда, ни теперь, ни принудительных, ни добровольных.

В последнее время я много думаю о политически мотивированных самоубийствах. Некоторые из мобилизованных убивают сейчас себя сами, столкнувшись с тем, что государство решает за них, где именно, как и за что они должны умереть. Волна самоубийств прокатилась по казармам и военным частям. Некоторые покончили с собой дома, получив повестку. Самоубийцы смешиваются в новостях в одного безымянного человека, ложатся в одну братскую могилу, состоящую из тех, кто никогда не был на поле боя.

Акт самоубийства для многих становится первым и последним актом политической воли. Про них скажут: не выдержал, сломался, смалодушничал. Мужчины так не поступают — скажут и те, кто против войны, и те, кто за войну. Мог умереть как герой, стать партизаном-камикадзе и унести не только свою жизнь, но и жизни псов путинского режима, а умер как трус. Мог умереть как герой за русский мир, утянув за собой «украинских нацистов», а умер как трус. Никто не скажет: «Он умер как политический актор». Никто не скажет: «Он убил себя, чтобы убить в себе государство». Да и тупо это, так говорить. Откуда мы можем знать, что именно он хотел убить, когда убивал себя. Может быть, убивая себя, он убивал что-то другое. Может быть, он хотел убить в себе политического актора. Может быть, он просто хотел, чтобы всё это поскорее закончилось.

Когда из политических соображений или убеждений убивает себя женщина, всё становится проще. Истеричка, неуравновешенная, из-за несчастной любви, городская сумасшедшая. «Могут ли угнетенные говорить?» — задавалась вопросом исследовательница Гаятри Спивак и описывала историю своей родственницы, совершившей политическое самоубийство.

«Я узнала, что тетя моей матери повесилась в 1926 году, когда ей было 17 лет, потому что состояла в антиимпериалистической группе. Она не могла убивать, поэтому убила себя. При этом она ждала четыре дня, пока у нее не начались месячные, чтобы никто не подумал, что она покончила с собой из-за внебрачной беременности. Своей акцией она хотела сказать, что женщины не принадлежат мужчинам. Вы можете себе представить, насколько тяжело ей было ждать? Так что она говорила своим телом».

Другая женщина выбрала говорить своим телом на языке огня.

Журналистка Ирина Славина подожгла себя в 2020 году в Нижнем Новгороде напротив здания ФСБ. В моей смерти прошу винить Российскую Федерацию — напишет она перед смертью в фейсбуке. Ирина Славина вспыхнула и погасла. Году в 2015-м мы обсуждали с подругой, что если и кончать с собой в России, то делать это надо осмысленно и с пользой для всех: конечно же, на Красной площади, сообщая во всеуслышанье о преступлениях режима. Тогда нам казалось, что такая смерть может свергать тиранов. После смерти Ирины Славиной я поняла, что многие из нас уже готовы к тихому принятию таких смертей, так что, скорее всего, огонь с моего тела не перекинется на дома чиновников и силовиков и не зажжет огонь революции. В тот день я вышла из дома со слезами ярости на глазах. Я бродила среди заброшек и гаражей с листом ватмана и маркером. Часа через два я нашла подходящее место, написала на листе «Ирина Славина» и подожгла плакат. Это была моя жалкая дань уважения, мой игрушечный огонь памяти ее смертоносного огня.

Иногда в наш антивоенный бот пишут люди, которые хотят совершить политическое самоубийство. Мы отговариваем их и отправляем к психологу. Однажды ночью нам пришло сообщение: «Я в отчаянии, как вы думаете, если я сожгу себя на Красной площади, война остановится?» «Пожалуйста, не делайте этого», — пишем мы дрожащими пальцами незнакомому человеку. Скорее всего, война не остановится, если вы перестанете жить.

Верили ли захватчики театра, что остановят войну в Чечне? Один из них говорил, что они хотят умереть сильнее, чем все вместе взятые заложники хотят жить. Вскормленные отравленным молоком войны, они взошли на сцену. Да, я располагаю в одном тексте слишком далеко лежащие друг от друга тела. Но представления о расстоянии меняются с возрастом, и эритроциты сейчас ближе, чем звезды.

В один день я решаю выписать имена всех, кого сожгла или самоубила политика, чтобы написать о них текст, но быстро устаю.

В 1965 году покончили жизнь самосожжением пятеро участников антивоенных акций в США. Первой была 82-летняя активистка Элис Герц;

таких людей называли «Живые факелы»;

рэпер-призывник из Краснодара, убил себя, уточнить имя, уточнить способ самоубийства, оставил видеообращение;

мобилизованный покончил с собой в военной части (слишком много случаев, выписать имена);

мужчина сжег себя в Грузии в знак протеста против ЛГБТ-прайда (на секунду задумываюсь, стоит ли вписывать, но и он политический актор, пусть и с другой стороны спектра);

Василь Макух. Первое самосожжение в Советском Союзе, которое точно имело политический характер. На многолюдную главную улицу Киева — Крещатик — из подъезда дома выбежал горящий человек. «Пусть живет свободная Украина! Долой оккупантов!» — кричал он на украинском языке;

статьи в советских газетах, будто Ян Палах не хотел сжигать себя по-настоящему, а сжег себя по ошибке, став жертвой заговорщиков: «...Я. Палаха заверили, будто горючее, которое он должен был использовать, вызовет лишь „холодное пламя“, лишь „свечение“»;

сжег себя и крымский татарин Муса Мамут. В 1975 году он приехал на родной полуостров Крым из Узбекистана, куда был в детстве депортирован вместе с родителями;

возле погибшего лежали девять сотен листовок, текст которых завершался словами: «Только таким способом можно протестовать в Советском Союзе». Погибшим был Олекса Гирнык, выступающий против русификации Украины, он сжег себя у могилы Тараса Шевченко. Жене сообщили, что он погиб в автокатастрофе;

в 2019 году удмуртский философ и ученый Альберт Разин в возрасте 79 лет совершил самосожжение у правительственного здания. Он держал в руках два плаката с надписями «Есть ли у меня отечество?» и «Если завтра мой язык исчезнет, то я готов сегодня умереть»;

к тому времени в народе и газетах появилось устойчивое выражение «соломенная женщина» — так прозвали поджигавших себя жительниц Центральной Азии. В 1920–1930-х годах в советских республиках Центральной Азии проводилась кампания «Худжум», в рамках которой местные женщины должны были снять паранджу и начать учиться, работать. Во время этой кампании женщины, отказавшиеся снимать паранджу, подверглись давлению госструктур, тогда как другие женщины, приветствовавшие перемены, испытали на себе угнетение со стороны консервативных мужчин. Женщин, снявших паранджу, убивали. Центральноазиатские женщины, оказавшиеся под давлением с двух сторон, тогда впервые прибегли к самосожжению. В 1926–1928 годах 203 женщины из республик свели счеты с жизнью таким образом;

картина «Самосожжение народоволки». Находится в Третьяковской галерее на Крымском Валу. Изображено самоубийство политической заключенной Марии Ветровой (1897), после которого начались студенческие волнения и было задержано 850 человек. Мария Ветрова подожгла себя, не вынеся порядков тюремного заключения. Она облила себя керосином из лампы.

Сегодня затмение и из-за того, что я знаю об этом,
солнечный свет кажется голубоватым,
невозможно привыкнуть к тому, что в нашем новом дворе
висят налитые кровью гранаты,
и к тому, что за нашими спинами
дети кидаются забродившими мандаринами,
и к тому, что мертвых становится больше живых,
и к тому, что моя страна не хоронит их

* * *

Половину дня я провела в Мосгорсуде на апелляции в надежде на то, что 15 суток превратятся в 10. До суда мы с двумя сотрудниками полиции ехали на машине по городу, залитому весенними солнечными лучами. Я смотрела на отсвечивающие здания и думала о том, какое всё вокруг на самом деле хрупкое, доведенное до предела: старые ментовские шапки, напоминающие мне о папе, эти мелькающие здания, этот свет на границе времен года. Внутри меня тоже всё было хрупко и доведено до предела.

В суде я провела около трех часов со своими защитниками. После семи дней в заключении я старалась от них не особо отличаться: мои волосы были чистыми (я помыла их над раковиной из бутылки, так как в душ водят всего раз в неделю), пóтом от меня не пахло. На щеках у меня были блестки. Вполне могу сойти за свободного человека.

Судья был мужчиной лет шестидесяти, худым и высоким, с седыми залысинами. У него были веселые глаза, и он их не прятал, смотрел прямо в лицо.

Это мне скорее понравилось, хоть я и знала по прошлому опыту, что чем милее судья, тем иногда строже приговор. Расспрашивая мои ФИО и семейное положение, он разочарованно цокнул и протянул «плооохо, ну как же вы так», когда я ответила, что детей у меня нет. Я почувствовала ярость корнями волос, у меня впервые от злости горела кожа головы. Мои защитники по очереди озвучивали претензии к суду: символ, за который я сижу, не признан экстремистским, удерживают незаконно, не пропагандировала насилие, не призывала. У меня тоже было право высказаться, я встала и начала выговаривать на одном дыхании всё, что у меня там внутри накопилось.

Уважаемый суд, Ваша честь, Вы справедливо заметили, что мой политический вес пока мал. То, что Вы, по Вашим словам, впервые обо мне слышите, вполне закономерно. С политикой в узком смысле этого слова я начала работать только на этих выборах.

Мой основной род занятий – это активизм, направленный на женщин, пострадавших от гендерного насилия. Я понимаю, что мое высосанное из пальца дело нужно только для устрашения других девочек, девушек и женщин, которые решают занять хоть какую-то активную позицию. Прямо сейчас продолжается процесс над Юлией Цветковой, которой вменяют распространение порнографии за рисунки женского тела. Это дело тоже нужно для устрашения.

*Если цель была в этом, то суд уже ее достиг: я отси-
дела свои 7 суток и это достаточно всех напугало.
Честно говоря, напугало это даже двух моих соседок
по камере, у которых наказание – 10 и 5 суток –
за вождение в пьяном виде и за нападение с ножом.*

*В конце я хочу ответить на Ваше замечание по по-
воду отсутствия у меня детей. Вы, наверное, даже
не подумали, что могли сказать это человеку, который, например, детей иметь не может. Если
уважаемый суд так заинтересован в том, чтобы
у меня были дети, предлагаю отпустить меня
из спецприемника, чтобы я предприняла неза-
медлительные попытки принести потомство
на благо своей Родины.*

В конце голос у меня задрожал от напряжения.
Казалось, что слезы сразу испаряются сквозь
кожу, не вытекая. Я села на свое место, швырнув
пачку листов на стол: еще никогда государство
не показывало мне столь явно свой контроль над
моим репродуктивным потенциалом.

15 суток мне оставили без изменений.

* * *

те кто были в нее влюблены
не вернулись с войны
те кто в губы ее целовали
потом убивали

а могли бы убить и ее

я никак не пойму
как чужая смерть помещается в человека
если у каждого она своя —
и даже с ней непонятно, что делать?

как мальчик, стоящий с цветком у подъезда,
превращается в мальчика, стреляющего в упор?
превращается в мальчика, отдающего приказ
стрелять в упор?
превращается в мальчика, не ослушивающегося
приказа?

с ним у тебя был первый секс несколько лет
назад
он был осторожен и спрашивал всё ли в порядке
ваши тела светились в сердцевине февральской
ночи

это не была большая любовь
но была любовь
вы смотрели друг другу в глаза
и любили друг друга
ты запомнила его тело, его тепло

вот же оно, изувеченное, на фотографиях
в канале «ищи своих»
жалкое и расхристанное
со следами распада

сколько военных преступлений на его счету?
больше или меньше, чем поцелуев, которые ты
можешь вспомнить?
как тело, прикасавшееся к тебе, превратилось
в тело, которое не похоронить в открытом
гробу?

мое сердце стало темнее, чем мое государство
я уже не чувствую жалости, чувствую ярость

я вспоминаю его поцелуи на своих губах —
не на все из них я давала свое согласие

я вспоминаю ночь после первой ночи —
на нее я тоже не давала согласия
но убедила себя, что давала

он сказал, что не услышал «нет»
не почувствовал слез
он часто использовал глагол «взять»
«я беру тебя» — «ты отдаешься»

тогда я пожелала ему умереть
а потом извинилась за это

и вот он умер

на чужой земле

которую нельзя взять

и которая не отдается

* * *

Мертвые синие женихи, вернувшись с войны, навсегда ложатся в кровати к своим невестам. Они лежат на чистых простынях, как в гробах, и женщины рядом с ними, еще живые, лежат, как в гробах, и все люди в каждой панельной многоэтажке лежат, как в гробах. В народе даже появилась поговорка «На войне и в домах — как в гробах». Страшно стало жить, а умирать и того страшнее.

И женихи стали страшные. Мало того, что синие и смердит от них, как от скотобойни, так у каждого еще и свое увечье: у кого-то кишки навыпуск, у кого-то половина лица спеклась и потекла, у кого-то нет обеих ног. Тяжело таких любить, но и хоронить таких нелегко. Женщины вздыхают и ложатся с ними, стараясь не показывать отвращения, — жалко. Не осталось уже ни сил, ни слез; за что умер — непонятно, любил ли — ни спросить, ни вспомнить. Женихи теперь молчаливые, у кого пальцы остались — могут только беззвучно ими на что-то показывать. Один на днях сидел с открытым ртом и в рот себе тыкал. Невеста подумала, что еды просит, положила ему под распухший язык кусочек вымоченного в молоке хлеба, а хлеб нежеваный так изо рта и выпал.

На том свете особо не заработаешь, так что на свадьбу откладывают теперь с гробовых. Какие-то выплаты, компенсации, капает всего понемножку, жить можно. Одна пара — мертвый и живая — скоро сыграют свадьбу и поминки одновременно, чего дважды тратиться. Жениха надо оплакать сначала, а потом уже можно и молодых поздравлять. Невеста — она же и вдова, поэтому наряд у нее особенный: платье белое, а фата черная. А жениха оденут в костюм отца, отец еще в Чечне подорвался, а теперь вот и сыну костюм стал впору, вся семья гордится.

Страшно невестам, правда, в первую брачную ночь со своими женихами оставаться. Слаб человек, тяжело живому возжелать мертвое. Как будто ему, когда-то живому, изменяешь с ним же, теперь мертвым. Будто два разных человека — живой и мертвый. И выбрать между ними уже нельзя.

Конечно, женщины предпочли бы живых. С ними было бы так хорошо целоваться под цветущей яблоней в начале мая. Или откладывать на море. Или пить чай с булками из ларька по дороге с работы. Или отправлять их в ночной магазин за килькой в томате во время первой беременности. По ночам, лежа рядом со своими неповоротливыми мертвецами, они грезят о живых. Бог им судья.

* * *

Уснуть в камере не получается. Саша курит в потолок и рассказывает:

— И вот я, значит, понюхала то, что он мне дал, ложусь спать и вдруг слышу — голос в голове: «Сними трусы!» Я думаю, вот это нихуя себе, это чё такое.

Оля смеется. Я, хоть и злюсь на них за ночную возню, улыбаюсь тоже.

Наутро в голове нет ни одной мысли. От соседок по камере хочется чем-то отгородиться. Сейчас они обсуждали секс — и это самое страшное обсуждение секса, которое я когда-либо слышала. Я не поддерживала этот разговор: под утро они так достали меня своими криками и пиздежом, что я вскочила и яростно начала стучать в дверь камеры, чтобы пришел дежурный и выключил нам весь свет. На Олю и Сашу я наорала, сказав, что если они немедленно не угомонятся, то сигарет завтра не получат. Мне должны были передать сигареты для поддержания здоровой коммуникативной атмосферы в камере. Сама я не курю. После моих криков соседки заткнулись, сказав, что наконец-то они меня зауважали и что на тряпку я не похожа. Спасибо, девочки.

Проблема заключалась в том, что Саша и Оля ни минуты не могли провести наедине с собой. Даже когда им становилось совершенно не о чем говорить, они просто продолжали производить на свет бессмысленные вопросы и восклицания до тех пор, пока это не начинало напоминать матерную версию пьесы «В ожидании Годо».

— Да сколько уже можно, блядь?
— Не могу, не могу больше.
— Когда это всё закончится?
— Вот это жизнь, конечно...
— Пиздец какой-то.

Они лежали на койках, по очереди охая в потолок. Но это всё равно было лучше историй про изнасилования и незащищенный секс, рассказываемых в качестве анекдотов и баек.

Каждый день в заключении заставляет меня сомневаться в том, что я тот человек, каким пытаюсь себя считать. В подобных перформативных условиях ты нашариваешь фундамент, на котором возводится твоя личность, а в фундаменте находишь давно похороненные капсулы времени — аффекты и воспоминания, письма любви и ненависти. Фундамент открывается тебе слой за слоем, а дом ходит ходуном, пока ты там внизу проводишь капитальную ревизию своего сердца.

Не только истории нужен ревизионистский подход, он нужен и травме. Например, сегодня я чувствую в себе совсем древние конструкции: в детстве мне так хотелось получить любовь от своей мамы, что я бесконечно старалась поддерживать ее миф о том, что я уникальный и талантливый ребенок. Я всегда чувствовала себя самозванкой в этом мифе, он был моей планкой и образом, который я училась себе присваивать. Здесь в камере я отстраиваюсь от своих соседок, потому что я всё еще уникальный и талантливый ребенок. Я изо всех сил стараюсь сдерживать свои банальные и болезненные проявления, но любое сдерживание не решает проблемы всплывающего паттерна. *Я всё еще хочу нравиться своей маме.* В том числе поэтому я пишу. Я пишу в надежде на свободу. На свободу от того, что со мной когда-то произошло.

Не перестаю удивляться, что в спецприемнике стучать нужно *изнутри двери*, чтобы к тебе подошел дежурный. В реальной жизни мы стучим в дверь, чтобы нам открыли, а не чтобы открыли нас. Вот такая инверсия несвободы. Думаю о том, что иногда мы так же заперты в своей травме, в своей голове, и нам самим приходится годами стучать изнутри, чтобы нас наконец открыло.

* * *

Вчера женщина начала рожать прямо на Красной площади. Стражи правопорядка не знали, что им делать: это акт несогласованного рождения или акт несогласованного протеста? Роды или перформанс?

Посмотрите на эту женщину с нежелательным лицом, у которой отошли воды на Красной площади. Вот уже она кричит и корчится, как кричали и корчились на последних митингах, она кричит, как кричат во время пыток за закрытой дверью в отделении полиции. Ментам всё это знакомо. Женщина кричит — и кровь проступает в лопнувших уголках ее сухого рта. Раскрытие рта — 7 сантиметров.

Время остановилось, и нет на площади никого, кроме ментов, женщины и ее рождающейся дочери, на словах замаскированной под сына. Полиции она сказала, что будет сын, чтобы к ней относились лучше. Один мент, более добродушный, сказал: «Не бойся, родишь нам всем богатыря, видишь, какое он место и время выбрал, чтобы родиться — в самом сердце России, в самый разгар спецоперации». Говорит он почему-то совсем медленно, и женщина тоже кричит всё медленнее, и скорая всё никак не приезжает. Каждый час бьют куранты на Спасской башне. Снежинки тают еще на подлете к разгорячённому лицу роженицы.

Постепенно полицейские успокаиваются и даже отводят оружие. Периодически они пытаются уйти с места событий, чтобы позвать на помощь, но уже через минуту дорога возвращает их на то же самое место. На Красной площади всего круглей земля. Двое полицейских и молодая женщина оказались совсем одни на этой круглой земле в самом сердце России в самый разгар войны.

«Ну что, роды принимать будем?» — спрашивает в воздух один из них, жалобно смотрит на роженицу и протягивает ей руку, как для рукопожатия. Роженица громко и изо всех сил кричит на него отборным матом, а потом с протяжным воем прокусывает руку. Он дает ей этой же рукой пощечину.

«Успокоилась? Ты тут не распускайся, мне всё равно, надо будет — ребенка из тебя вытащу, а тебя потом в обезьянник засуну к остальным, будешь там лежать на грязном матрасе и скулить». Женщина закрывает глаза и кивает. Один мент подпирает ей спину, второй суетится между ног.

Проходит бесконечное количество времени, и под бой курантов ей в руки дают завернутого в полицейскую куртку и дымящегося на легком морозе младенца. Менты в слезах поздравляют друг друга и целуются в щеки, совсем не замечая, что достали не сына, а дочь.

Женщина с девочкой на руках смотрит в чистое звездное кремлевское небо. В голову ей закрадывается воспоминание, что здесь, совсем рядом, в Мавзолее, лежит непохороненный мертвец. Прогорклая дымка иногда застилает ей взгляд — по всей стране открылись новые крематории, и дым из их труб иногда опускается на город тяжелым смогом. Мертвецы напоминают горожанам о себе, сбивая дыхание и заставляя закашляться.

Время, наконец, оживает, вокруг появляются зеваки и туристы, мужчины в форме подхватывают на руки и мать, и дочь и уносят прочь из этого места. Женщину просят дождаться врачей в отделении полиции. Их с младенцем аккуратно сажают в клетку, где сидят другие женщины, склонив головы на плечи друг другу. Находятся они там, судя по всему, уже много часов: на их рубашках и кофтах расплываются пятна проступившего молока. За что сидят — она решила пока не спрашивать. В камере совсем тихо, только из-за железной решетчатой двери слышно, как веселые шумные полицейские всем отделом садятся обмывать рождение сына.

Дочь мента

дочь мента выходит на улицу своего города

дочь мента выходит на митинг

на плече у нее три родинки — три смазанные звезды,

доставшиеся от отца

когда она родилась

ее показали ему и сказали:

роды были тяжелые

ваша дочь боец

а вы, вероятно, дослужитесь до полковника

отец расплакался

и прижал ее к груди

и посмотрел ей в лицо

и понял, что теперь у родины всегда будет ее лицо

и принял родину в сердце свое

и сохранил ее в сердце своем

и отдавая приказы пиздить людей на площади

он говорил себе «это ради нее»

но сам малодушничал

и не всегда выполнял приказ

дочь мента выходит на площадь

вместе с феминистками

вместе со штабами Навального

вместе с ЛГБТ-активистами

эко-активистами

анархистами

правозащитниками

она кричит

«мусора позор россии»

а потом кричит

«полиция с народом»

и чувствует себя тупо

у каждого полицейского

у каждого эшника

у каждого омоновца

лицо ее отца

и она хранит это лицо

в сердце своем

как лицо своей родины

он никогда не поднимал на нее руку

возвращаясь домой, он делал вид, что совсем
не устал

садился собирать с ней пазлы

находя недостающую деталь, он радостно крякал

и вставлял ее в нужное место

и говорил, что когда она родилась

она заполнила в нем пустоту, как вот эта деталь

и всё стало целым и целостным

а может он этого и не говорил

но она так запомнила

но сегодня на площади он ударил ее

не сам, но руками других мужчин

мужчин, у каждого из которых его лицо

сегодня он схватил ее на площади и понес

сегодня он запер ее в машине с зарешеченными
окнами

сегодня он будет лжесвидетельствовать против
нее

составлять рапорт, в котором она оказывала сопротивление

его дочь с лицом его родины

его родина с лицом его дочери

но он защитит их обеих

от самих себя

его дочь получит как все: 7 суток в спецприемнике по решению суда

он не так ее воспитывал

поблажек не будет

она не будет избегать наказания, как сын депутата

сбивший на перекрестке 8-летнюю девочку

дочь мента стоит перед судьей

и втайне гордится отцом

что он не воспользовался своим положением

она и сама хотела отсидеть 7 суток

она бы не хотела, чтобы все узнали, что она

дочь мента

дочь омоновца

дочь фсиновца

она бы не хотела, чтобы ее друзья

посмотрели в ее лицо

и в его лицо

и сказали «какое сходство, ты вся в отца»

отец шутил на семейных застольях, что это он в нее

он на нее похож

у него ее подбородок

ее глаза

ее звездочки на его погонах

она давно не приходит на эти застолья

он говорит, что попросил ее больше не приходить

она говорит, что попросила ее не звать

раньше когда они сидели за одним столом

стол казался бесконечным

бескрайним

безбрежным

как Россия

на одном конце стола веяла вьюга

на другом земля трескалась от палящего солнца

телевизор тем временем напевал

«на спящий город опускается туман»

как и 20 лет назад

всё стабильно

ничего не меняется

за исключением того

что у него такая взрослая дочь

которая выходит под дубинки омона

со всеми этими идиотами

с которой теперь не сказать и слова

не переходя на крик

дочь мента выходит на улицу своего города

дочь мента читает стихотворение Пазолини

«Компартия — молодежи»

о буржуазных студентах, избивших полицейских — выходцев из рабочих,

дочь мента ненавидит слова «мент», «мусор», «космонавт»

дочь мента не может больше сказать слово «папа»

она смотрит видео пыток в колонии

где включают песни группы «Любэ», чтобы заглушить крики,

отец постоянно слушал группу «Любэ»

ей было бы легче, если бы он сам сейчас был на площади,

если бы она встретилась с ним глазами

несмотря на шлем, она бы узнала его глаза, у него глаза ее родины

лучше бы он ударил ее сам, исполняя приказ кого-то другого

лучше бы она ударила его в ответ

и они бы потом пошли вместе куда-то

побрели бы по снегу

по подворотням и дворам

сквозь вьюгу

вытирая кровь из рассеченной губы и разбитого носа

кровь,

по которой, если приобщить ее к делу,

будет понятно,

кем они были друг другу

на этой площади

в этой стране

и кем они стали друг другу

* * *

Узнала сегодня кое-что невероятно смешное. Позавчера мне в камеру принесли странную передачку: 20 литров воды, сушки и упаковку прокладок.

Про себя я подумала: что за идиот тащил это всё ко мне? Копию паспорта идиота мне, кстати, показали, потому что так положено. А сегодня во время 15-минутного созвона муж рассказал, что это мне пришла издевательская передачка от ультраправых представителей женоненавистнического движения «Мужское государство». Так они хотели исчерпать допустимый лимит моих передачек, чтобы близкие не могли больше передать мне еду. Только эти умники не учли две вещи:

вода не входит в лимит и ее можно передавать в любом количестве;
я переписала себе данные паспорта человека, который принес мне передачку, и могу теперь деанонимизировать его.

Воду эту я сразу же вылила на всякий случай, а большие пустые баклажки использую для того, чтобы смывать в туалете.

Ровно год назад 14 февраля я соорганизовала «Цепь солидарности» в поддержку Юлии Навальной и всех женщин-политзаключенных (или родственниц политзаключенных). В этот день «Мужское государство» опубличило адрес нашего шелтера для выгоревших активистов. Ровно год назад российское государство, слившись с «Мужским», начало меня преследовать. А теперь они передают мне гостинцы в камеру. В каком-то смысле это даже трогательно. В этом выражается их какая-то особенная привязанность.

Путешествие на край травли. Интервью

1. Как бы вы описали место событий?

Не знаю, как вам объяснить. Сначала становится холодно за ушами, будто кто-то включил ледяную воду (но именно за ушами) или как будто всё остальное тело так нагревается, что именно за ушами становится холодно. Потом заболевает живот. Ты идешь в туалет, садишься на унитаз, ступни не касаются пола полностью, а остаются на полупальцах, и колени дрожат от недостатка опоры. Сидишь так, разглядываешь кафельный пол, но ничего не происходит. Надеваешь трусы, колготки, джинсы, идешь обратно в комнату. Наливаешь воды. Ловишь себя на том, что не пьешь, а лакаешь, язык сам знает, что делать. Кладешь руку себе на грудь, смеешься. Говоришь: «Тебе это знакомо, ты знаешь всё, что произойдет дальше, ты как рыба в воде». Это неправда, но иногда мы живем всеми правдами и неправдами, мы как рыба в воде, внутри нас — проглоченный ключик, замочек, крючочек, христианский пророк, оловянный солдатик, державинский червь. Язык инертен, язык сам знает, что делать, образы надвигаются на нас со всех сторон, но, к счастью, мы давно обтекаемой формы.

2. Что бы вы сказали тем людям, которые пишут вам «сдохни, тварь»? Рассматриваете ли вы для себя возможность к ним обратиться?

Если случится чудо и я сдохну сразу же, как получу их сообщения, думаю, я смогу к ним обратиться. Я являюсь к ним во сне, как ко мне в детстве являлись все мои мертвые родственники, которых я никогда не видела. И тогда я скажу им:

«Привет, я сдохла, как ты и просил, так что теперь я стану твоим ночным подспудным переживанием, потому что наяву ты меня пока пережить не можешь, а от меня осталась моя непрожитая агентность. Я сдохла, но у меня к тебе много вопросов, и я не дам тебе спокойно жить, извини, чел. Я очень душная, поэтому я сейчас положу свои призрачные руки тебе на грудь (как для откачки) и начну вопрошать: что такое любовь? на что ты любишь смотреть? чего ты боишься? кого ты хочешь? где твой отец? что делает тебя счастливым? что ты хочешь себе купить, но не можешь позволить? чего ты стыдишься больше всего?»

Как любой призрак, я буду настроена патерналистски, но добродушно, обернусь такой усатой грудной жабой в пышной накрахмаленной юбочке. Буду бить их перепончатыми лапками по щекам, чтобы не засыпали. Живи, тварь, да-да, я к тебе обращаюсь, живи, и чтоб духу твоего здесь не было среди мертвых, пока на все мои вопросы мне не ответишь.

3. Что бы вы сказали тем людям, которых другие люди описали через язык ненависти?

Привет, брат. Здравствуй, сестра. Мы — твари, ебанашки, шлюхи, пидоры, пёзды, горящие в аду, привет, нас поджидают во дворах призраки хилых бритых парней в маленьких шапочках, на 1000 призрачных один реальный, на 10 000 ботов один реальный, это как в любви — кто окажется твоим тем самым, твоей темной второй половинкой, которая поджидает тебя у подъезда, чтобы сказать тебе «сука», никому не желаю такой любви. Нас описали — и мы увидели друг друга четче, мы тоже есть в этих темных дворах, твари, ебанашки, пидоры, шлюхи, чурки, мы выйдем из темноты на свет, чтобы защитить друг друга, чтобы встать как горы или деревья, чтобы пересоздать ландшафт, чтобы добрые люди из окон своих панелек увидели, какими могут быть внеплановые застройки гор и деревьев, мы раскинемся как моря, мы как рыбы в воде, внутри нас плещутся волны горных пород, мы давно вышли из берегов человеческого языка, поэтому нас сложно описать как шлюх и ебанашек,

это как кричать воде

что она понаехала

это как кричать земле

что она рожавшая

это как кричать воздуху

что он тут

* * *

Цветок тревоги раскрывается в животе, я не отличаю его от голода и влюбленности;

кровь шумит в ушах раскатисто и глухо, как море, но я сейчас не различаю море и кровь;

из твоей речи пропали ласковые слова, в моей речи появились враждебные ноты — мы разговариваем друг с другом из разных мест, с задержкой связи, даже когда сидим напротив друг друга;

море знакомило нас — вот тут глубоко, а тут безопасно, тут холодно, тут тепло, вот тут горизонт, а здесь проходит береговая граница, да и сейчас, если положить голову тебе на грудь, можно услышать биение тех же волн;

я бы хотела, чтобы любовь была сильнее всего — сильнее страха, войны, травмы и смерти, сильнее любого горького опыта, я бы хотела смотреть на любовь, как на море, — на огромное тело воды, из которого мы выходим и в которое возвращаемся; я бы хотела встречать рассвет на берегу любви, я бы хотела быть частью одной сети, раскинутой от существа к существу, от меня к тебе, от тебя ко мне, от нас — куда-то еще; быть передающимся легким сигналом от узла к узлу, без задержки связи, без отвержения, без проекций, чистым импульсом, приводящим в движение всё живое, чтобы всё живое могло вздохнуть и обняться, ощутив

голод, тревогу, влюбленность,
желание, жажду, тепло.

* * *

Моя мама родилась 23 февраля. В России это День защитника Отечества, мужской день. Девочки поздравляют мальчиков. В этот день сильно пьют мужчины-военные и мужчины-силовики. Мой папа — военный. Поэтому 23 февраля всегда был двойным праздником: день моей мамы и день папиных военных. Тосты за одну женщину и всех мужчин смешивались в один непрерывный тост. 23 февраля в этом году — мой последний день в спецприемнике. Мама ждет моего освобождения и шутит, что это подарок ей на день рождения. День защитника Отечества, день моей мамы, день папиных военных станет последним днем перед новой войной. Путин тяготеет к некрасивым датам: думаю, для него было принципиально важно, чтобы защитники отечества именно в этот день стали оккупантами. Чтобы поддержать боевой дух. Чтобы в будущем отмечали 23 и 24 февраля подряд, сделав оба этих дня выходными. Чтобы у выживших «ветеранов» была возможность пускать слезу под песни группы «Любэ» и пить водку два дня, а не один. Война — это праздник.

* * *

если красота в глазах смотрящего
то война в глазах
глаза отводящего
да и в любых глазах

у войны — наши глаза
будто она
плоть от плоти
ноздря в ноздрю

война донашивает мое платье
и в каждом кармане у нее
по тяжелому камню

война за нашим столом
как кровный родственник:
мы связаны узами крови
которую проливаем

«Война» — так мы назовем нашу дочь
отличное имя для девочки
будем кричать ей с балкона
«Война, домой!»

а она уже дома

* * *

Чтобы Оля не плакала так сильно (сложно сохранять дистанцию, когда человек, с которым ты делишь камеру, всё время в слезах), я решила вспомнить всё, чему меня научила роль тренера по профилактике выгорания. Я видела, что у моей соседки много невыраженных эмоций, и в сочетании с большим количеством свободного времени, которым мы обладали, это грозило застреванием в одном и том же состоянии. Быть сукой и каждый раз вставлять затычки для ушей я почему-то, к моему сожалению, не могла.

Вчера перед сном мы работали с тревогой и делали телесные практики, фокусировались на дыхании и его ритме, на ощущениях в руках и ногах. На простых вещах, которые всегда с нами. Оле очень подошло сканирование тела, она довольно быстро успокоилась и заснула.

Утро началось с новых слез. Мужчина, с которым она живет, за четыре дня ни разу не принес ей передачу. К этому подтянулось всё сразу: отношения с семьей, домашнее и сексуализированное насилие, работа в борделе, обида, злость, разочарование в собственной жизни. С таким чужим грузом я справиться, конечно, не могла бы. Я дала ей два листа бумаги и ручку и попросила написать два письма: одно себе в прошлое, другое себе в ближайшее будущее. Попросила обратиться к себе как к другому человеку, написать обо всем, что беспокоит, найти поддерживающие слова. Завтра у Оли день рождения — и я предложила подумать, как мы его отпразднуем, и сделать в камере вечеринку.

Для меня важно было сохранить роль дистанцированного, хоть и внимательного слушателя, чтобы уберечь свое личное пространство, поэтому я четко обозначала, когда я не разговариваю, а читаю или работаю. Это помогало мне уходить от постоянных вопросов, на которые я не имела права давать ответов:

— Даша, мне уходить от него?
— Может, мне уйти работать из парка в магазин?
— Как думаешь, почему моя жизнь так сложилась?

Я мягко старалась возвращать ей эти вопросы и подчеркивать, что только она сама может отвечать на них. Я переживала, что могу сейчас так разбередить человека, что это скорее навредит, чем принесет пользу. Я правда хотела, чтобы Оле стало лучше.

Вбрасывая в пространство нашей камеры самые простые практики самопомощи, я осознавала, что делаю это и для себя: чтобы отсоединиться от позиции временно заключенной и вспомнить, что я являюсь кем-то еще. Я склонна к контролю и к тому, чтобы нести ответственность за жизнь других людей. У этого есть свои сильные и слабые стороны. Я работаю над тем, чтобы этот контроль отпускать. Но, видимо, в тяжелых ситуациях ездить по накатанным дорожкам душеспасительно — это экономит силы и позволяет ощутить себя в своей тарелке. Так что я оказалась в привычном положении, в окружении старых проблем и рисков.

* * *

Как бы извращенно это ни звучало, кажется, мне уже есть за что благодарить этот довольно жесткий для моих реалий опыт. Хотя нет, не так: я должна благодарить не некий опыт, случившийся со мной против моей воли, а то, как я его приняла и приземлила на поверхность своей психики.

Тоска по гаджетам и интернету, кстати, прошла на третий–пятый день. На месте гаджетов и той захватывающей ряби, которую они производят, образовалась приятная легкость и пустота, которую можно заполнить интенсивным чтением и письмом. А еще, изолированная от новостей и духа времени, я как раз этот дух времени начинаю по-настоящему ощущать. Я придаю событиям, происходящим в том числе со мной, историческое измерение, чувствую себя черточкой в огромном размеченном пространстве. Это помогает помнить, что так будет не всегда. Именно в изоляции я чувствую, как нас много, как меня много, как то, что мы делаем и говорим, становится частью прошлого и будущего одновременно. Высвободившаяся энергия дала мне ощу-

128

тить свой масштаб: я одновременно очень маленькая и очень большая.

Вечером мы начали подготовку к вечеринке в камере. У Оли день рождения, и я предложила встретить его в полночь. Я нарисовала открытку, накрыла на стол (то есть на свободную железную койку), растопила на водяной бане шоколад, чтобы макать в него булки, которые мне передали утром. В булки я воткнула спички вместо свечей, вокруг разложила пластиковые тарелки с яблоками, орехами, сыром и колбасой. Я попросила Олю загадать желание и задуть спичку-свечу. Оля загадала «перемен», а потом расплакалась. Я испугалась, что сделала что-то не так, но Оля сквозь слезы сказала, что это ее лучший день рождения. Слезы смешивались с блестками, которыми я с ней поделилась.

* * *

Каждый день я с нетерпением ждала положенные 15 минут на звонок. Звонила я мужу и лучшей подруге. Выходить в интернет нам было категорически запрещено, но я умудрялась выйти секунд на 30 между звонками, пока делала вид, что ищу номер.

Подруга Соня передавала мне последние новости и шутки из твиттера. Я не могла реагировать многословно и часто разговаривала эвфемизмами: созваниваться можно было только под присмотром дежурной. В маленькой комнате для звонков всегда был человек, засекающий время и зорко следящий за тобой. Я быстро заговорила на двойственном эзоповом языке, но Соня всегда меня понимала.

В спецприемнике я остро ощутила любовь, благодарность и привязанность к людям, которые меня окружают. Увидеть на пять секунд людей у апелляционного суда было лучшим событием дня. Читать записочки, написанные карандашом в переданных книжках, было чудесно.

Хоть сегодня и не произошло ничего из того, что в рамках спецприемника могло бы считаться как плохое, я чувствую себя подавленно: у меня не получается израсходовать силы, накапливающиеся в моем теле в течение дня. Неиспользованная энергия начинает гулять внутри и напоминает штормовое предупреждение.

Когда соседок не было, я начинала в таких случаях громко петь и бешено прыгать по всей камере. Сейчас хотелось бить кулаком в стену, пока на стене не выступят пятна моей крови. Здешние сотрудники очень переживают, что мы распишем им стены, и, честно говоря, чем дольше я сижу, тем сильнее у меня соблазн сделать это.

Вчера у нас с Олей состоялся разговор о политике. Когда я спросила, кого из политиков она уважает и любит, она ответила, что Немцова и Лукашенко. Путина она не любила за то, что он позволил мировому правительству навязать России биологический ковидотеррор. В этой системе координат я решила зацепиться за Немцова и пересказала два документальных фильма о нем. Через 20 минут я узнала, что фамилия Оли — Новодворская, мы обсудили Новодворскую. Потом я рассказала об Анне Политковской и о том, как ее убили. Тот вечер мы провели в окружении мертвых политиков, но это было хорошо.

* * *

когда всё закончится
я буду уже взрослой женщиной
чья юность прошла при диктатуре
чьё тело вздрагивало от страха
чаще чем от любви

когда диктатура закончится
ко всем выжившим придет новая молодость
мы будем ходить по улицам как дураки
целоваться в неподходящих местах
гладить друг друга по щекам по губам
нас будет не оторвать друг от друга

когда всё закончится
я возьму себе светлого пива
и пойду в Гончаровский парк
я буду плакать так громко
как не плакала в самые страшные времена

я буду лежать на траве
как в тот день
когда мой лучший друг, в которого я была
влюблена
совершил каминаут

мы лежали в траве и смотрели
как звёзды на рассвете исчезают одна за другой

когда всё начнётся
мы вернёмся домой
но дом не узнает нас
не распознает наш запах

мы замрём у его порога
не решаясь войти
дрожа не от страха
а от усталости

* * *

Пока я читаю биографию Зонтаг, меня наполняет какая-то романтизированная тоска по иному времени, времени, в воздухе которого можно уловить утопический импульс. Я понимаю, что политическое время неоднородно. Подъем шестидесятых разбился о вьетнамскую войну, а сексуальная революция обернулась вспышкой сексуализированного насилия, но всё равно так хочется ощутить свою принадлежность к моменту, внутри которого происходит что-то прекрасное, — и более или менее все это чувствуют. Хоть я и не доверяю прекрасному.

Ночью я не могла уснуть, атакуемая вопросами. Я пыталась понять, что действительно меня волнует, и пыталась осознать, предпринимаю ли я попытки отвечать на эти вопросы (и возможно ли это).

1. Существует ли такая свобода, которая не вызывает своим появлением несвободы в другом месте
2. Когда я читаю книгу / текст, важно ли мне знать, что за человек ее / его автор

3. Может ли искусство действительно приносить свободу
4. Возможно ли равенство
5. Исчезнет ли гендер
6. Есть ли у человечества будущее
7. Возможно ли преодолеть капитализм
8. Возможно ли покочить с войнами тиранией и диктатурой
9. Когда наступит конец политики
10. Почему фашизм возможен до сих пор
11. Как перестать быть человеком, оставшись при этом в живых
12. Возможна ли деколонизация без негативных эффектов национализма

На многие из этих вопросов у меня в голове уже были готовые ответы, но этого слишком мало, чтобы приблизиться к ним по-настоящему. Это вопросы, требующие всей жизни. Каждый вопрос похож на луковицу: ты снимаешь слой за слоем и плачешь, чтобы в итоге убедиться в том, что никакой сердцевины, которой нужно было достичь, нет.

* * *

Включив перед звонком выданный на 15 минут телефон, я заметила, что процент зарядки на нем вырос. Это меня встревожило. Кто-то включает и заряжает мой телефон без меня.

Господи, какая же я глупая. Я сдала спецприемнику свой реальный телефон со всеми доступами. Гаджет придется выкинуть, иначе, где бы я ни была после освобождения, — он приведет ко мне. Я была зла на себя и свою неопытность.

Периодически я чувствовала резкую волну, прокатывающуюся по всему телу. После этой волны хотелось бить себя по лицу и ногам, хотелось увидеть собственную кровь, выступающую на поверхности кожи. Я попыталась перенаправить саморазрушительные порывы куда-то вовне и прыгала на месте до тех пор, пока над губой не выступила маленькая капелька пота. Потом я попросила у Оли сигарету. Я не курю, поэтому никотин меня обессилил и обездвижил, ярость исчезла, ей на смену пришли усталость и сонливость.

К вечеру я пришла в состояние, когда писать уже просто нечего. Внутри и снаружи всё настолько гладко и пусто, что лучше просто попытаться уснуть. Даже Оля сегодня не разговаривала, а просто смотрела несколько часов подряд в одну точку. Я всё это время дочитывала огромную биографию Зонтаг, так что в каком-то смысле тоже смотрела в одну точку часов шесть.

Ночью нам с Олей не спалось и мы начали обсуждать еду.

— Ой, Дашенька, а какую долму мы заворачивали...
— И, в общем, обмазываешь его чесноком и кладешь запекаться с веточкой розмарина...
— Трешь цедру лимона и провариваешь с сахаром...
— Мы курей покупаем только домашних и потом маринуем их...
— Очень хочется жареной рыбьей икры...

Я почувствовала во рту мощный приток слюны. Как же хочется есть нам всё это время.

* * *

Когда ты вырастешь, ты будешь вспоминать, как
я пела тебе колыбельную, которую сочинила
во время нашей тяжелой дороги. Это колыбель-
ная о вырванном с корнем деревце, которое вы-
хватили из горящей земли, чтобы спасти. Нас
вырвали с корнем — и нам было так больно и пусто, ты всё время болела и плакала, а я обнимала
тебя руками, как ветками, и качала тебя ветками,
как руками.

Нас вело сквозь огонь и снег, ты была в жару
и бредила, мы останавливались в пещерах, овра-
гах и норах и настороженно спали. За нами гна-
лись люди в форме, и животные в форме, и деревья в форме, но это были другие люди, животные и деревья, непохожие на нас. Мне важно это
противопоставление: они уже не были похожи
на нас. Когда ты вырастешь, кем бы ты ни стала —
человеком, животным или деревом, — ты не будешь похожа на них. Нас вырвало с корнем,
чтобы спасти, мы сами вырвали себя ветками,
как руками, из горящей земли, чувствуя жар и хо-
лод каждым оголенным корнем.

Я держала тебя на руках всю дорогу. Я прижимала тебя к груди, когда раздавался любой незнакомый звук. Я обещала, что никогда тебя не покину. Я пела тебе, что каждому дереву найдется такое место, где оно сможет укорениться — окрепшее, сильное, выжившее. Нас вырвало с корнем из нашей родной земли, но посмотри: теперь чужие хрупкие птицы вьют гнезда в наших раскрытых ладонях.

Я сама смутно припоминаю слова. Я повторяла их снова и снова, чтобы ты всегда могла слышать мой голос. Я повторяла их снова и снова, пока они не стерлись из моей памяти. Пока я пела тебе колыбельную, я бодрствовала. Эта песня не давала мне уснуть, чтобы я могла защищать тебя. Эту песню мы передавали от одного мигрирующего дерева к другому, пока она не растворилась и не стала шумом всего нашего летучего леса.

Когда ты вырастешь, ты выберешь землю, равную себе, сама. Ты простишь землю, которая отвергла тебя, которую мы отвергли не по своей воле, — или не простишь. Ты будешь сильнее всех, кто когда-либо гнался за нами. Сильнее той, что обнимала тебя руками, как ветками, и той, что качала тебя ветками, как руками.

Колыбельная

спите, – и кем бы вы ни были, сон вас найдет
беззаботно спите, будто завтра прибудут еда и вода
стоит вам только проснуться

бодрствуйте, словно не помните, куда держите путь
засыпайте так, будто пригрелись на дне медленной
лодки
и пытаетесь вспомнить

когда уйдет последний человек, который знает тебя
с рождения
когда останутся те, кто будет знать тебя до самой
смерти
когда вернется тот, кто уже никогда не покинет
и покинет тот, кто никогда не вернется,

спи беззаботно, ибо во сне
будет время попрощаться с каждым
и поприветствовать каждого

* * *

Впервые за почти две недели пребывания в спецприемнике я проспала весь день. Уснула после обеда, а проснулась уже после ужина. Тело пытается ускорить время, как может, и приблизить срок освобождения. После долгого дневного сна моя голова напоминает камень и тянет обратно на дно кровати. Но спать мне уже не хочется.

В камере все предметы прикручены к полу: кровати, скамьи, стол. Такое ощущение, что меня постепенно тоже прикручивает к одной точке. Я становлюсь менее подвижной, хоть и делаю на автомате зарядку и выхожу гулять. Сегодня утром меня порадовало солнечное пятно на стене над моей кроватью. Но даже оно было размечено решетчатой тенью окон. Хорошо, что солнечные блики они не в силах посадить на шурупы.

Мое пребывание тут пока ничуть не приблизило меня к пониманию того, что такое свобода. Я делаю свои поверхностные наблюдения, но не чувствую в них особого смысла.

Зато Оля из-за моей скуки узнала про Шиес и про то, кто такие иноагенты. И про дело «Доксы». И про дело Юлии Цветковой. На каждый мой рассказ она охала и прижимала кулак ко рту, а потом шла курить в окно. Не уверена, что вся эта информация сделает ее счастливее.

* * *

Ощущение поезда вернулось. Сегодня, пока я читала свою утреннюю книгу, меня начало покачивать от слабости из стороны в сторону, будто бы в такт невидимым ударам. Последние два дня я почти ничего не ела, от всего воротило.

Мой поезд постепенно прибывает на конечную остановку: послезавтра, если ничего нового не случится, я должна оказаться дома. Сегодня 21 февраля. Очень хочется при встрече с мужем и друзьями у ворот спецприемника выглядеть хорошо и бодро — они, я думаю, переживали все эти дни сильнее меня. И заслуживают видеть, что их забота действительно отразилась на мне.

За две недели я похудела. Скачки веса замечала дважды — после первого суда и после апелляции. Вещей за это время скопилось так много, что я уже со вчерашнего вечера думаю, как бы мне уложиться в одну сумку. Хочется именно в одну, чтобы при выходе свободной рукой обнимать людей и чтобы быть более мобильной.

На руках у меня 14 книг, огромная косметичка, подушка, плед, матрас, свое постельное белье. Матрас, к сожалению, придется оставить, он огромный, я его не донесу.

Я мало говорю последние дни. Но для языка это, может быть, и хорошо. Чувство обнуления языка не самая удачная исходная точка для письма, но зато ревизия происходит и тут: я теряю как свои, так и чужие поэтики, и пытаюсь вспомнить, как я говорю с минимальным количеством метафор. Кажется, с трудом.

* * *

Сегодня я заметила две приметы приближающегося освобождения:

я опять почувствовала на руках свои пока фантомные кольца и даже чуть было не начала их вращать на пальцах по привычке;
глядя в окно, я теперь не видела решетку, хотя она там была. Глаза привыкли ретушировать ее и восстанавливать вид за окном целиком. Я любовалась раскидистой елью, вид на ель куда лучше вида из панельки моей съемной квартиры.

Жду последнюю передачку. Основной запас моей еды без спроса сожрала Саша, пока была тут. Осталось только то, что я больше не могу есть: орехи, сухари, коробочки быстрого приготовления. Нет никакой проблемы протянуть на этом два дня, но мой желудок болит каждый вечер.

6 апреля 1943 года были казнены супруги Элиза и Отто Хампель (тюрьма Плётцензее, Берлин). Казнены за распространение в городе антигитлеровских и антифашистских открыток и писем в 1940–1942 годах. Открытки они начали рас-

пространять после гибели на фронте их единственного сына. Он — рабочий-столяр, она — домохозяйка.

Сейчас я читаю роман «Один в Берлине» Ханса Фаллады. Роман мне передала из 7-й камеры Маша Алёхина. Маша сидит по такому же бредовому делу, как и я: 20.3, пропаганда нацизма и экстремизма. Если я сижу за публикацию восклицательного знака (логотипа Навального), то есть за экстремизм, то Маша сидит за картинку 2015 года, на которой изображен солярный индийский знак, который суд счел свастикой. И вот сидим мы тут, экстремистка и нацистка, и передаем друг другу из камеры в камеру антифашистские книжки об ужасах войны и ксенофобии. Пока Россия продолжает угрожать Украине военным вторжением. Это просто безумие. Новости по радио передают только провластные, я мало что из них могу понять. *Неужели будет война?*

В седьмом классе я случайно назвала свое школьное сочинение про Петра Первого «От сердца — к солнцу», не имея ни малейшего понятия о контексте этой фразы. Мне казалось, я придумала ее сама и что это такой образ про связь человека и мира. Было бы смешно, если бы они откопали где-нибудь это сочинение, чтобы еще раз посадить меня по 20.3.

* * *

Вечером к нам в камеру завели политическую!
Активистку Аню Кречетову. Это был очень ра-
достный момент, несмотря на наши с ней об-
стоятельства. Потом она начала рассказывать
политические новости из большого российского
мира — и радость улетучилась.

Анну посадили за антивоенный пикет. Анна говорит: никто не верит ей, что будет война. Мне
становится тревожно. Я тоже не верю Анне
и не верю своим предчувствиям.

День в активистских разговорах пролетел быстро. Аня хрупкая, тихая и очень добрая ко всем.
Она попросила меня дать ей интервью про активизм и политику и быстро-быстро писала вслед
за моими словами. Потом мы поменялись, и интервью у нее брала уже я.

Чем ближе освобождение, тем меньше я пишу.
Я устала и в последние дни прекратила почти
все свои временные ритуалы: мои силы уходили
на то, чтобы не расклеиться.

* * *

В.

Я смотрю на твои узловатые пальцы и вижу всего тебя как на ладони. Я снимаю с тебя кольца прилюдно и прячу их в кулаке, как фокусница. «Спиздила», — говорю, и мне становится очень смешно. Ты смотришь ласково куда-то поверх моей головы, и от этого взгляда я чувствую себя так, будто мне на живот поставили тяжелый графин с ледяной водой и велели не опрокинуть. Я смеюсь и поэтому почти сразу его опрокидываю, и вода разливается по всему телу, правда, оказывается она горячей, а не холодной.

Ты закуриваешь, и наша речь постепенно превращается в вечерний детский лепет. Взрослеть заново нам приходится несколько раз по ходу разговора. Траектории этого ускоренного взросления похожи на давно проторенные дорожки, и я изображаю на пальцах, как мы бежим по ним, складывая указательный и безымянный в беспокойного человечка и пуская его наутек по твоей груди. Именно так поступают взрослые.

Ничего не поделаешь, идет война — но люди всё равно идут навстречу друг другу. Дома других людей вырваны из земли с корнями и подвешены в воздухе, полудома-полудеревья, покачивающиеся на волнах памяти. А мы рассказываем друг другу о своих нетронутых домах так, будто прямо сейчас разойдемся по ним, будто нам есть куда идти, будто нам есть куда пригласить друг друга, чтобы оставить на ночь. Идя навстречу друг другу, мы не покидаем пространство развязанной нами войны, мы обживаем его объятиями и поцелуями. И презираем себя за это.

Иногда я вижу наш дом, наш сад, наше совместное пробуждение. Но вижу так, словно это в прошлом, словно всё это уже было. Время выворачивается наизнанку, и люди начинают путаться: то думают, что знают друг друга всю жизнь, на второй день знакомства, то, прожив вместе годы, уходят навсегда от незнакомцев, с которыми делили одну постель. Снег летит снизу вверх, лепестки собираются обратно в цветы, слезы текут в глаза, а не из глаз, кровь втягивается в раны. Люди начинают свою первую встречу с фразы «я люблю тебя» и живут долго и счастливо до нового взрыва.

* * *

23 февраля. Через пять часов я должна покинуть камеру. Сегодня утром впервые не было утреннего обхода. На мой вопрос «почему?» дежурный ответил, что сотрудников сегодня нет: всех отправили на военные учения и стрельбища. Россия признала так называемые ЛНР и ДНР. Я села на пол камеры и закрыла голову руками. Надо будет поздравить маму с днем рождения. Поздравлять отца с Днем защитника Отечества я, конечно же, не буду.

Перед выходом на свободу я провела жалкий одиночный пикет в своей камере. На листе бумаги маркером я написала «война убивает наяву, пока ее зачинщики спят». Я писала эти слова — и еще не было Бучи, Краматорска, Ирпеня, не было ракет, застрявших в панельках, не было взрывов над Киевом и Львовом, не было десятков тысяч новых могил, не было тысяч фотографий мертвых тел в неестественных позах, все были живы, все спали в своих кроватях, в своих домах, прижимая к себе детей и животных, еще не было буквы Z в каждом российском городе. Я сижу в камере, в Москве, в России, дома — и обвожу буквы маркером по десять раз. *Пока ее за-чинщики спят.*

У ворот спецприемника меня встречают друзья и любимые. Я держу в руках цветы и свои пожитки. Меня тайком везут в чужой дом, чтобы в моем доме меня не задержали повторно. Мой старый телефон выбрасывают и дают в руки новый. 24 февраля начнется вторжение. 25 февраля мы объявим о создании Феминистского антивоенного сопротивления. Многие из нас покинут Россию, спасаясь от обысков, пыток и уголовных дел. Многие из тех, кто остался в России, будут ненавидеть нас.

Danse Macabre

1

революция будет — у нее будут твои глаза

глаза, открытые в темноте:

видишь как протестующие ищут на ощупь друг друга

как ласкают друг друга после вопроса «можно?»

как целуются, переболевшие, снимая маски

когда они запретили нам приближаться друг к другу

шел снег

когда они запретили стоять по одному

снег не прекращался

когда они запретили нам раздеваться друг перед другом

снег пошел в наших домах

нашу постель замело

она стоит белая и стерильная

как они и хотели

какой твой любимый цвет?

цвет непролитой крови

крови которую я не вижу

но которую представляю

как свободу

когда мы вышли на улицу бить витрины

шел снег

мы ломали не стекла, а лед

столько лет он сдерживал ход реки

что теперь она вышла на улицы

мы знаем, что лед дороже крови

что разбитые стекла затянутся завтра

и товары встанут на свои места

вправленные обратно

а тела останутся изувеченными

заметенными

сокрытыми от посторонних глаз

ты спрашиваешь всё время

а что под снегом

а что под снегом

я отвечаю —

снег

2

иногда в разгар вечеринки

когда мы танцуем

молодые неоновые мутные прикасающиеся друг
к другу

а в голове в пустоте

переливаются имена погибших и заключенных

я представляю что утро никогда не наступит

что меня найдут в снегу возле рельс с отрезанной
головой

что меня изнасилуют полицейские

что меня размажет по новостной ленте
несчастным случаем

или огромным сроком

о, смерть, я бы никогда не сделала тебя мужчиной

я скорее представляю тебя как Россию

как молодую женщину, которая вынесет меня
из пожара

как женщину, которая подожжет свой дом

и мы сядем смотреть на огонь

светящиеся мутные

прикасающиеся друг к другу

и мы сядем смотреть на огонь

безжалостные беззащитные

и мы сядем смотреть на огонь

равные перед огнем

живые

как срезанные цветы

брошенные в сугроб

Дарья Серенко

Я желаю пепла
своему дому

Издательство книжного магазина «Бабель» (Тель-Авив)

Заказ книг: https://www.facebook.com/BabelTLV/

Дистрибьюция книги:
Interbok Books & Distribution (Sweden)
www.interbok.se
info@interbok.se
Hantverkargatan 32, 112 21, Stockholm

Дизайнер издательства: Виктор Меламед
Корректор: Иван Иванов
Вёрстка: Марат Хабибуллин

Подписано к печати: 17.07.2023

ISBN 978-965-93083-7-8